약물의 역사

History of Medications

방수민

약물의 역사
History of Medications

발　　행 ｜ 2023년 5월 8일

저　　자 ｜ 방수민

디 자 인 ｜ 어비, 미드저니

편　　집 ｜ 어비

펴 낸 이 ｜ 송태민

펴 낸 곳 ｜ 열린 인공지능

등　　록 ｜ 2023.03.09(제2023-16호)

주　　소 ｜ 서울특별시 영등포구 영등포로 112

전　　화 ｜ (0505)044-0088

이 메 일 ｜ book@uhbee.net

ISBN ｜ 979-11-93084-69-4

www.OpenAIBooks.shop

약물의 역사

History of Medications

방수민

목차

머리말

의약품은 수천 년 동안 인류의 건강과 웰빙에 중추적인 역할을 해왔습니다. 고대 약초 요법부터 현대 의약품에 이르기까지 약물의 개발과 사용은 질병을 치료하고 통증을 완화하며 삶의 질을 개선하는 데 중요한 역할을 해왔습니다.

약의 역사에 대한 탐구는 인류 역사를 통틀어 의학적 관행의 진화에 대한 포괄적인 탐구입니다. 이 책은 전통 의학에서 식물과 미네랄과 같은 천연 물질의 사용과 현대 의학에서 합성 약물의 개발을 살펴보면서 약물의 기원을 탐구합니다.

이 책의 각 장을 통해 독자들은 의학적 관행의 발전, 직면한 도전 과제, 수년에 걸쳐 이루어진 놀라운 업적에 대한 통찰력을 얻을 수 있습니다. 의학의 역사는 인류의 역사와 맞물려 있으며, 이 책은 의학이 인류 문명과 함께 발전해 온 과정을 흥미진진하게 보여 줍니다.

히포크라테스나 갈렌과 같은 고대 의사들의 공헌부터 현대 약리학의 획기적인 발견에 이르기까지 이 책은 약의 역사에 대한 포괄적인 개요를 제공합니다. 또한 약물의 개발 및 사용과 관련하여 제기된 윤리적 고려 사항과 의학의 미래 및 신흥 기술의 잠재적 영향에 대해서도 다룹니다.

'약물의 역사'는 의료 전문가, 역사가, 학생 및 의학의 진화에 관심이 있는 모든 사람이 관심을 가질 만한 중요한 저작입니다. 이 책의 저자는 인류 역사에서 의약품이 수행해 온 중요한 역할을 조명하는 설득력 있고 유익한 자료를 만들었습니다.

인류는 오랜 세월 동안 고통을 덜어주고 질병을 치료하기 위해 노력해 왔습니다. 식물과 약초로 만든 고대 치료법부터 과학적 연구를 통해 개발된 현대 의약품에 이르기까지 의약품의 역사는 혁신, 발견, 인내의 이야기입니다.

이 책에서는 매혹적인 약의 세계를 탐구하고 시간의 흐름에 따른 약의 진화를 살펴봅니다. 고대 메소포타미아에서 아편을 최초로 사용한 기록부터 알렉산더 플레밍의 페니실린 발견까지, 의약품 개발의 주요 이정표와 의약품이 사회에 미친 영향을 추적합니다.

하지만 의약품의 역사는 단순한 과학적 진보의 이야기가 아닙니다. 약의 사용과 규제를 형성한 문화적, 사회적, 정치적 영향에 대한 이야기이기도 합니다. 의약품 사용에서 종교, 전통, 미신의 역할과 의약품의 유통과 사용을 통제하기 위한 의약품 법과 규정의 출현에 대해 살펴봅니다.

의약품의 미래를 바라보면서 우리는 새로운 도전과 기회에 직면하고 있습니다. 의약품 비용 상승부터 개인 맞춤형 의약품 개발에 이르기까지 의약품 사용 및 개발 환경은 끊임없이 변화하고 있습니다. 의약품의 역사를 이해함으로써 과거의 발전과 좌절을 더 잘 이해하고 미래를 위한 정보에 입각한 결정을 내릴 수 있습니다.

이 책을 통해 독자들이 의학의 매혹적인 역사와 미래 세대의 건강과 웰빙을 위해 의약품이 수행할 중요한 역할에 대해 계속 탐구할 수 있기를 바랍니다.

저자 소개

저자는 숙명여자대학교 약학대학을 졸업한 약사입니다. 제약 산업에 대한 열정과 디지털 기술에 대한 깊은 관심으로 ChatGPT를 활용한 책 집필이라는 새로운 도전을 시작하게 되었습니다.

이 책을 통해 독자들에게 역사적으로 의약품의 개발과 사용에 대한 포괄적인 이해는 물론 이 중요한 분야의 미래에 대한 통찰력을 제공하는 것을 목표로 하고 있습니다. 독특한 관점과 전문 지식을 바탕으로 약물의 역사와 미래에 관심이 있는 모든 이들에게 흥미롭고 유익한 읽을거리를 제공할 것입니다.

이 책의 집필을 시작으로 저자의 미래 지향적인 접근 방식과 도전에 대한 의지는 계속될 것입니다.

01
약물(Medications)의 소개: 용어 및 개념

약물(medications)의 종류

의학 분야는 질병과 질환을 치료하고 관리하기 위해 다양한 유형의 약물 사용에 크게 의존하고 있습니다. 이러한 약물은 크게 약물, 생물학적 제제, 의료 기기의 세 가지 주요 카테고리로 분류할 수 있습니다.

약물(Drugs): 이 범주의 약물에는 화학적으로 합성되거나 천연 자원에서 분리된 물질이 포함됩니다. 약물은 일반적으로 경구, 국소 또는 주사를 통해 투여되며, 신체의 특정 분자 표적과 상호 작용하여 작용합니다. 약물은 감염, 통증, 염증, 정신 질환, 만성 질환 등 다양한 질환을 치료하는 데 사용할 수 있습니다.

약물은 일반적으로 경구, 국소 또는 주사를 통해 투여되며, 신체의 특정 분자 표적과 상호 작용하여 작용합니다. 약물의 예로는 아스피린, 항생제, 항정신병약물, 화학요법제 등이 있습니다.

생물학적 제제(Biologics): 생물학적 제제는 세포나 조직과 같은 살아있는 유기체로 만든 약물입니다. 이러한 약물은 일반적으로 주사 또는 주입을 통해 투여되며 기존 약물로 효과적으로 치료할 수 없는 질병을 치료하는 데 사용됩니다. 생물학적 제제는 신체의 특정 세포나 단백질을 표적으로 삼는 데 사용할 수 있으며, 암, 자가 면역 질환, 유전 질환과 같은 질환을 치료하는 데 자주 사용됩니다. 생물학적 제제의 예로는 단일 클론 항체, 백신, 유전자 치료법 등이 있습니다.

의료 기기(Medical devices): 의료 기기는 질병을 진단, 예방 또는 치료하는 데 사용되는 기기 또는 기계입니다. 의료 기기는 체온계처럼 단순한 것부터 심장-폐 기계처럼 복잡한 것까지 다양합니다. 의료 기기는 심장학, 신경학, 안과, 산부인과 등 다양한 의료 전문 분야에서 사용될 수 있습니다. 의료 기기의 예로는 심장박동기, 의족, 영상 장비, 수술 기구 등이 있습니다.

각 유형의 약물에는 고유한 장점과 위험이 있으며, 미국 FDA와 같은 규제 기관에서 각기 다르게 규제합니다. 이러한 유형의 약물 간의 차이점을 이해하는 것은 치료 결정을 내리고 약물의 안전하고 효과적인 사용을 보장하는 데 도움이 될 수 있으므로 의료진과 환자 모두에게 중요합니다.

약물 사용 및 남용의 역사

약물 사용과 남용의 역사는 인류가 다양한 식물과 물질의 치유력을 발견한 고대 시대로 거슬러 올라갑니다. 시간이 지남에 따라 이러한 치료법은 더욱 정교한 약물로 정제되고 개발되어 의료 분야에서 점점 더 중요한 역할을 담당하게 되었습니다.

약물은 장점과 함께 오용 및 남용의 가능성도 있습니다. 비의학적 목적으로 원하는 향정신성 효과를 얻기 위해 약물을 사용하는 것은 오랜 역사를 가지고 있으며, 역사적으로 많은 문화권에서 기록되어 있습니다. 예를 들어 아편은 수세기 동안 진통제 및 진정제로 사용되어 왔지만 행복감을 주는 효과로 오용되기도 했습니다.

현대에 이르러 약물의 오용과 남용은 심각한 공중 보건 문제가 되고 있습니다. 오피오이드, 벤조디아제핀, 각성제와 같은 처방

약은 일반적으로 오용 및 남용되는 약물입니다. 특히 오피오이드 오남용은 전 세계 여러 지역에서 광범위한 중독과 과다 복용으로 인한 사망을 초래했습니다.

약물의 오용과 남용에는 여러 가지 요인이 있습니다. 여기에는 약물 사용에 대한 사회적 태도, 약물의 가용성 및 접근성, 특정 사람들이 중독 및 약물 남용에 빠지기 쉬운 개인적 요인 등이 포함됩니다.

약물 오용 및 남용 문제를 해결하기 위해 교육 캠페인, 처방약 모니터링 프로그램, 약물 오남용 방지 제형 개발 등 다양한 전략이 개발되었습니다. 또한 약물 사용 장애를 도덕적 실패가 아닌 의학적 질환으로 치료하는 것의 중요성에 대한 인식이 높아지고 있습니다.

약물 사용 및 남용의 역사는 복잡하고 다면적입니다. 약물은 의료 분야에 혁명을 일으켰고 삶을 개선할 수 있는 잠재력을 가지고 있지만, 오용과 남용은 치명적인 결과를 초래할 수 있습니다. 따라서 안전하고 적절한 약물 사용을 장려하기 위해서는 약물의 이점과 위험 사이의 균형을 신중하게 고려하고 약물 사용 장애의 근본 원인을 해결하는 것이 중요합니다.

처방 관행을 개선하고 특정 약물의 오남용을 줄이기 위한 노력도 진행 중입니다. 예를 들어 오피오이드 및 기타 규제 약물의 적절한 사용을 위한 가이드라인이 개발되었으며, 통증 관리를 위한 비약물적 치료법의 사용을 개선하기 위한 노력도 진행 중입니다.

또한 약물 사용 장애를 둘러싸고 있는 낙인을 해결하는 것도 중요한데, 이는 개인이 치료를 받지 못하게 하고 부정적인 건강 결과를 초래할 수 있습니다. 중독에 기여하는 생물학적 및 환경적 요인에 대한 인식과 이해를 높이면 이러한 낙인을 줄이고 약물 사용 장애 치료에 대한 보다 효과적인 접근 방식을 장려하는 데 도움이 될 수 있습니다.

앞으로 약물 오용과 남용을 예방하는 데 도움이 될 수 있는 새로운 기술과 접근 방식이 등장할 수 있습니다. 예를 들어, 약물유전체학의 발전으로 개인의 유전적 프로필에 따라 보다 개인화된 처방이 가능해질 수 있습니다. 또한 디지털 건강 도구와 원격 모니터링의 개발은 약물 순응도를 개선하고 약물 유용 또는 오용의 위험을 줄일 수 있습니다.

궁극적으로 약물 사용 및 오남용의 역사는 안전하고 적절한 약물 사용을 촉진하기 위한 포괄적이고 다각적인 접근 방식의 중요성을 강조합니다. 약물 사용 장애의 근본 원인을 해결하고, 처방 관행을 개선하며, 새로운 기술과 접근 방식을 활용함으로써 약물 사용과 관련된 위험을 완화하고 모두의 건강 증진을 도모할 수 있습니다.

의약품 개발 및 사용의 윤리

의약품 개발 및 사용의 윤리는 의약품을 연구, 개발, 테스트 및 활용하는 과정에서 발생하는 도덕적, 사회적 고려 사항을 말합니다. 이러한 고려 사항에는 환자의 자율성, 유익성, 비악용성, 정의, 책임 있는 자원 사용과 같은 문제가 포함됩니다.

중요한 윤리적 고려 사항 중 하나는 환자가 약물 사용에 동의하기 전에 해당 약물의 위험과 이점에 대해 충분한 정보를 제공받아야 한다는 정보에 입각한 동의의 원칙입니다. 이 원칙은 임상시험의 맥락에서 특히 중요한데, 임상시험 참가자는 검증되지 않은 새로운 약물에 노출될 수 있기 때문입니다.

또 다른 윤리적 고려사항은 자원의 적절한 사용입니다. 의약품은 개발 및 제조에 많은 비용이 소요될 수 있으며, 의료 서비스에 사용할 수 있는 자원이 제한되어 있는 경우가 많습니다. 따라서 가장 많은 사람들에게 가장 큰 혜택을 제공할 수 있는 의약품의 개발과 사용에 우선순위를 둘 필요가 있습니다.

의약품 개발 및 사용의 윤리에 대한 우려가 커지고 있는 분야 중 하나는 의약품 비용의 상승입니다. 최근 몇 년 동안 의약품 비용이 크게 증가하면서 많은 개인, 특히 적절한 보험 혜택을 받지 못하는 사람들이 의약품의 경제성에 대해 우려하고 있습니다. 높은 연구 개발 비용, 규제 승인 획득 비용, 의약품 제조 및 유통 관련 비용 등 의약품 비용 상승에 기여하는 여러 요인이 있습니다. 또한 가격 책정에서 제약회사의 역할과 특정 상황에서의 가격 후려치기 가능성에 대한 우려도 있습니다. 높은 약값은 환자에게 재정적 어려움, 처방된 약의 순응도 저하, 경우에 따라서는 부정적인 건강 결과 등 심각한 결과를 초래할 수 있습니다. 이로 인해 가격 책정의 투명성을 높이고 더 저렴한 제네릭 의약품과 대체 요법의 개발을 촉진하기 위한 노력이 요구되고 있습니다.

이처럼 의약품 사용과 관련된 윤리적 고려사항은 접근성 및 경제성과 같은 문제까지 확장됩니다. 의약품은 모든 사람이 항상 동등하게 이용할 수 있는 것은 아니며, 인종, 민족, 사회경제적 지위와 같은 요인에 따라 의료 서비스 접근성과 결과에 차이가 있는 경우가 많습니다. 이는 의약품 접근성 및 이용률의 불평등으로 이어질 수 있으며, 이는 소외 계층의 건강에 심각한 영향을 미칠 수 있습니다.

이러한 고려 사항 외에도 의약품 광고 및 마케팅, 의약품 개발에서 제약회사의 역할, 어린이, 노인, 임산부 등 취약 계층의 의약품 사용과 관련된 윤리적 문제도 있습니다.

의약품 개발과 사용에서 또 다른 중요한 윤리적 고려사항은 개인과 사회적 이익의 균형을 맞추는 것입니다. 의약품은 개별 환자에게 상당한 혜택을 제공할 수 있지만, 항생제 내성이나 의약품 생산 및 폐기의 환경적 영향과 같은 사회적 영향도 있습니다.

의약품 개발 및 사용의 윤리는 의약품 연구, 개발 및 활용의 도덕적, 사회적 영향을 신중하게 고려해야 하는 복잡하고 다면적인 분야입니다. 투명성, 정보에 입각한 동의, 공평한 접근, 책임 있는 자원 활용을 장려함으로써 윤리적 원칙에 부합하고 모든 개인의 건강과 복지를 증진하는 방식으로 의약품이 개발되고 사용되도록 도울 수 있습니다.

현대 의료에서 약물의 역할

현대 의료에서 약물의 역할은 매우 중요하고 광범위합니다. 약물은 다양한 급성 및 만성 질환을 치료하고, 증상을 관리하고, 질병을 예방하고, 환자의 삶의 질을 개선하는 데 사용됩니다.

현대 의료에서 약물은 감염, 당뇨병 및 고혈압과 같은 만성 질환, 정신 건강 장애를 포함한 많은 질환의 1차 치료제로 사용되는 경우가 많습니다. 어떤 경우에는 약물을 단독으로 사용하여 증상을 관리할 수 있으며, 다른 경우에는 수술이나 물리 치료와 같은 다른 치료법과 함께 사용할 수 있습니다.

또한 전염병 예방 백신이나 심장병 또는 암 위험을 줄이기 위한 약물과 같이 예방적 건강 관리에도 약물이 점점 더 많이 사용되고 있습니다. 또한 만성 질환을 앓고 있는 환자의 통증을 관리하고 삶의 질을 개선하기 위해 약물이 사용됩니다.

하지만 현대 의료에서 약물을 사용하는 데에는 상당한 어려움이 따릅니다. 약물은 부작용을 일으킬 수 있으며 일부 개인은 특정 약물에 부작용을 일으킬 수 있습니다. 또한 환자가 여러 가지 약물을 복용하는 경우 약물 상호 작용의 위험이 있습니다.

많은 환자, 특히 적절한 보험 혜택을 받지 못하는 환자에게는 약물 비용이 접근을 가로막는 장벽이 될 수 있습니다. 또한, 특히 오피오이드 및 항생제 처방 분야에서 약물 오남용과 오용의 영향에 대한 우려가 커지고 있습니다.

이처럼 현대 의료에서 약물의 역할은 복잡하고 다면적입니다. 약물은 환자에게 상당한 이점을 제공할 수 있지만, 이러한 이점과 약물 사용과 관련된 잠재적 위험 및 문제 사이의 균형을 맞추는 것이 중요합니다. 의료진은 약물 관리에 대한 포괄적이고 환자 중심적인 접근 방식을 취함으로써 환자가 최상의 치료와 결과를 받을 수 있도록 보장할 수 있습니다.

현대 의료에서 약물의 역할에서 중요한 과제 중 하나는 약물이 적절하고 안전하게 사용되도록 하는 것입니다. 의료진은 환자의 병력, 현재 건강 상태 및 기타 요인을 고려하여 개별 환자에 대한 약물의 잠재적 위험과 이점을 신중하게 고려해야 합니다.

이를 위해서는 효능과 안전성을 평가하기 위한 정기적인 약물 검토를 비롯하여 약물을 주의 깊게 모니터링하고 관리해야 하며, 환자의 약물 사용 및 우려 사항이나 문제에 대해 환자와 지속적으로 소통해야 합니다.

또한 예방 의료 및 만성 질환 관리에서 약물 사용이 증가함에 따라 운동, 영양, 스트레스 관리와 같은 예방 조치와 건강한 생활습관 증진의 중요성이 강조되고 있습니다. 의료진은 건강과 웰빙에 대한 총체적인 접근 방식에 집중함으로써 환자가 약물에 대한 의존도를 줄이고 전반적인 건강 결과를 개선하도록 도울 수 있습니다.

현대 의료에서 약물의 역할에 있어 또 다른 중요한 고려사항은 모든 환자가 공평하게 약물을 이용할 수 있도록 해야 한다는 것입니다. 이를 위해서는 높은 비용, 보험 적용 범위 부족, 의료 서비스 접근성 및 품질 격차 등 의약품 접근을 가로막는 장벽을 해결해야 합니다.

약물과 사회: 비용, 접근성 및 형평성

의약품 사용은 특히 비용, 접근성, 형평성 측면에서 사회 전체에 중대한 영향을 미칩니다. 높은 의약품 비용은 많은 환자, 특히 적절한 보험 혜택이 없거나 재정적 자원이 제한적인 환자에게는 접근성을 가로막는 중요한 장벽이 될 수 있습니다. 이로 인해 특히 취약하고 소외된 계층의 경우 의료 서비스 접근성과 결과에서 불균형이 발생할 수 있습니다.

의약품 가격은 연구 개발 비용, 마케팅 및 유통 비용, 제약회사의 가격 책정 전략 등 다양한 요인에 의해 영향을 받습니다. 따라서 혁신과 수익성의 필요성과 저렴하고 접근 가능한 의약품의 필요성 사이에서 균형을 맞출 수 있는 최선의 방법에 대한 논의가 계속되고 있습니다.

이 문제에 대한 한 가지 잠재적인 해결책은 의약품 가격 책정 및 환급에 대한 투명성을 높이고 제약 업계의 경쟁을 촉진하는 것입니다. 또한 비영리 의약품 개발 조직이나 정부가 운영하는 의약품 가격 협상과 같은 의약품 개발 및 유통의 대안 모델에 대한 관심도 높아지고 있습니다.

의약품 접근성 측면에서도 인종, 민족, 소득, 지리적 위치 등의 요인에 따라 상당한 격차가 존재합니다. 필요한 의약품에 대한 접근성이 부족한 개인은 건강 상태가 나빠지고 합병증 발생률이 높아질 수 있으므로 이는 의료 결과의 불평등으로 이어질 수 있습니다.

이러한 문제를 해결하기 위해서는 특히 소외된 지역사회에 의료 인프라와 자원에 대한 더 많은 투자가 필요합니다. 여기에는 의약품 및 기타 의료 서비스에 대한 접근성을 높이고 건강 격차의 근본 원인을 해결하는 사회 및 경제 정책을 통해 건강 형평성을 증진하기 위한 노력이 포함됩니다.

사회에서 의약품의 역할은 복잡하고 다면적이며, 의료 접근성, 형평성 및 비용에 중대한 영향을 미칩니다. 의료 서비스 제공자와 정책 입안자는 의약품 개발, 가격 책정 및 접근성에 대한 포괄적이고 환자 중심의 접근 방식을 취함으로써 의약품이 현대 사회에서 긍정적이고 공평한 역할을 수행하여 건강 결과를 개선하고 사회 복지를 증진할 수 있도록 도울 수 있습니다.

02
고대의 약물:
식물에서 초기 화학물질까지

전통 약용 식물과 그 용도

전통 약용 식물과 그 용도는 전 세계 많은 문화권에서 건강 관리의 중요한 측면입니다. 이러한 식물은 수세기 동안 두통이나 감기와 같은 가벼운 질병부터 암이나 심장병과 같은 심각한 질병에 이르기까지 다양한 질환을 치료하는 데 사용되어 왔습니다. 많은 전통 약용 식물에는 약리학적 특성이 있는 것으로 밝혀진 활성 화합물이 포함되어 있으며, 일부는 기존 의약품으로 개발되기도 했습니다.

역사적으로 다양한 문화권에서 사용되어 온 수천 가지의 전통 약용 식물이 있으며, 각 식물은 고유한 특성과 용도를 가지고 있습니다. 일반적으로 사용되는 식물의 몇 가지 예는 다음과 같습니다:

에키네시아(Echinacea): 북미가 원산지인 에키네시아는 수세기 동안 전통적인 약용 식물로 사용되어 왔습니다. 보라색

수레국화라고도 하며 데이지과에 속하는 식물입니다. 이 식물은 감기, 독감, 감염, 뱀에 물린 상처 등 다양한 질병을 치료하는 데 사용했던 원주민들 사이에서 오랜 역사를 가지고 있습니다.

에키네시아는 면역력을 높이는 효능이 있는 것으로 알려져 있으며 감기와 독감을 예방하고 치료하는 데 일반적으로 사용됩니다. 에키네시아에는 면역 조절 및 항염 효과가 있는 것으로 알려진 다당류, 알카미드, 플라보노이드 등 여러 가지 활성 화합물이 함유되어 있습니다.

에키네시아의 감기 및 독감 치료 효능에 대한 수많은 연구가 진행되어 왔으며 그 결과는 엇갈렸습니다. 일부 연구에서는 에키네시아가 감기와 독감 증상의 심각성과 지속 기간을 줄이는 데 도움이 될 수 있다는 결과가 나온 반면, 다른 연구에서는 별다른 효과가 없는 것으로 나타났습니다. 에키네시아 제제의 품질과 복용량은 매우 다양할 수 있으며, 잠재적인 효능과 한계를 완전히 이해하려면 더 많은 연구가 필요하다는 점에 유의할 필요가 있습니다.

에키네시아는 감기와 독감 치료에 사용되는 것 외에도 항염증, 항산화 및 항균 작용을 하는 것으로 알려져 있어 다른 다양한 질환을 치료하는 데 유용할 수 있습니다. 예를 들어, 일부 연구에 따르면 에키네시아는 심장병이나 암과 같은 만성 질환의 발병에 중요한 역할을 하는 것으로 여겨지는 체내 염증을 줄이는 데 도움이 될 수 있다고 합니다.

에키네시아는 습진, 건선, 여드름과 같은 피부 질환을 치료하기 위해 크림과 연고에 국소적으로 사용하기도 합니다. 에키네시아의 항염 및 항균 성분은 자극받은 피부를 진정시키고 치유하며 감염을 예방하는 데 도움이 되는 것으로 알려져 있습니다.

에키네시아는 캡슐, 차, 팅크, 추출물 등 다양한 형태로 제공됩니다. 일부 사람들은 위장 장애, 알레르기 반응 또는 피부 발진과 같은 경미한 부작용을 경험할 수 있지만 일반적으로 지시대로 사용하면 안전한 것으로 간주됩니다. 에키네시아는 특정 약물과 상호작용하거나 근본적인 건강 문제를 악화시킬 수 있으므로 자가 면역 질환이나 기타 만성 질환이 있는 사람, 기존 약물과 함께 사용할 경우에는 주의해서 사용해야 합니다.

세인트 존스 워트(St. John's wort): 세인트존스워트(Hypericum perforatum)는 유럽이 원산지이지만 이후 북미를 포함한 다른 지역에도 소개되었습니다. 이 식물은 수세기 동안 우울증과 불안을 치료하는 데 사용되어 왔으며, 현재는 기존 항우울제의 대안으로 일반적으로 사용되고 있습니다.

세인트존스워트는 기분 조절에 관여하는 세로토닌, 도파민, 노르에피네프린을 포함한 뇌의 특정 신경전달물질 수치를 증가시키는 작용을 합니다. 하이페리신과 하이퍼포린을 포함한 식물의 활성 성분이 치료 효과의 원인으로 여겨집니다.

연구에 따르면 세인트존스워트는 경증에서 중등도의 우울증 치료에 효과적이며, 선택적 세로토닌 재흡수 억제제(SSRI)와 같은 기존 항우울제만큼 효과적일 수 있다고 합니다. 그러나 더 심각한 형태의 우울증 치료에 대한 효과는 명확하지 않으며 모든 사람에게 적합하지 않을 수 있습니다.

세인트존스워트는 일반적으로 지시대로 사용하면 안전한 것으로 간주되지만, 특정 약물과 상호작용할 수 있으며 일부 사람에게는 부작용을 일으킬 수 있습니다. 특히 다른 약물을 복용 중이거나 정신 건강 문제가 있는 경우에는 세인트존스워트를 사용하기 전에 의료 전문가와 상의하는 것이 중요합니다.

세인트존스워트는 우울증과 불안증 치료 외에도 신경통, 갱년기 증상, 계절성 정서 장애(SAD)와 같은 다른 질환을 치료하는 데도 사용되기도 합니다. 그러나 이러한 용도에 대한 치료 효과와 안전성을 완전히 이해하려면 더 많은 연구가 필요합니다.

세인트존스워트는 오랜 사용 역사를 가진 흥미롭고 잠재적으로 유용한 전통 약용 식물입니다. 그러나 안전하고 책임감 있게 사용해야 하며, 건강 상태를 치료하기 위해 세인트존스워트를 사용하기 전에 자격을 갖춘 의료 전문가와 상담하는 것이 중요합니다.

세인트존스워트는 항우울제, 피임약, 항응고제 등 다양한 약물과 상호작용할 수 있으므로 의료 전문가와 상의 없이 병용 사용해서는 안 됩니다. 또한, 세인트존스워트 보충제의 품질과 순도는 매우 다양할 수 있으므로 평판이 좋은 출처에서 구입하고 복용 지침을 주의 깊게 따르는 것이 중요합니다.

은행잎(Ginkgo leaf): 은행나무는 중국에서 자생하는 수종으로 수천 년 동안 전통 의학에서 사용되어 왔습니다. 은행나무 잎은 혈액순환과 인지 기능과 기억력을 지원하기 위해 일반적으로 복용하는 보충제를 만드는 데 사용되며 기억력 감퇴와 치매 치료에 사용됩니다. 은행잎은 뇌로 가는 혈류를 증가시키고 산화 스트레스로부터 보호하는 작용을 하는 것으로 알려져 있습니다.

여러 연구에서 노인의 인지 기능, 기억력, 주의력 개선에 대한 은행잎 보충제의 잠재적 이점을 조사했습니다. 그러나 이러한 연구 결과는 엇갈리는데, 일부 연구에서는 긍정적인 효과가 있는 것으로 나타났고 다른 연구에서는 별다른 이점이 없는 것으로 나타났습니다.

은행잎은 이명, 현기증, 녹내장과 같은 다른 질환을 치료하는 데도 잠재적으로 사용될 수 있다는 연구도 진행되었습니다. 그러나 현재 이러한 용도를 뒷받침하는 과학적 증거는 제한적입니다.

다른 보충제와 마찬가지로 은행잎은 약물과 상호작용할 수 있으므로 주의해서 사용해야 합니다. 아스피린이나 와파린과 같은 항응고제와 함께 복용하면 출혈 위험이 증가할 수 있습니다. 또한 항우울제 및 항전간제 등 다른 약물과도 상호작용할 수 있습니다. 은행잎 또는 기타 보충제를 복용하기 전에 의료 전문가와 상의하는 것이 중요합니다.

은행나무는 기억력과 인지 기능에 대한 잠재적 이점 외에도 녹내장, 이명, 현기증 등 다양한 질환의 증상을 개선할 수 있는 잠재력에 대한 연구도 진행되었습니다. 그러나 과학적 증거는 엇갈리고 있으며 이러한 질환에 대한 효과를 완전히 이해하려면 추가 연구가 필요합니다. 은행잎은 다른 약물과 상호 작용하여 일부 개인에게 부작용을 일으킬 수 있으므로 의료 전문가의 지도하에 신중하게 사용해야 합니다.

강황(Curcuma): 강황은 전통 아유르베다 의학(인도의 전승의학)에서 염증, 관절염 및 소화기 질환을 치료하는 데 일반적으로 사용되는 향신료입니다.

커큐마 롱가라고도 알려진 강황은 남아시아 요리와 전통 의학에서 흔히 사용되는 향신료입니다. 강황은 특유의 밝은 노란색으로 유명하며, 잠재적인 항염증 및 치유력으로 아유르베다 의학에서 오랫동안 사용되어 왔습니다. 강황의 활성 성분은 커큐민으로, 커큐민은 잠재적인 건강상의 이점에 대해 연구되어 왔습니다.

연구에 따르면 강황은 염증 감소, 통증 완화, 뇌 기능 개선, 심장병, 당뇨병, 암과 같은 만성 질환 위험 감소 등 다양한 건강상의 이점을 제공할 수 있는 것으로 나타났습니다. 강황은 항산화 및 항염 작용을 하는 것으로 밝혀졌으며, 이는 잠재적인 건강상의 이점에 기여할 수 있습니다.

강황은 일반적으로 관절염과 같은 염증성 질환과 과민성 대장 증후군(IBS) 및 궤양성 대장염과 같은 소화기 질환을 치료하는 데 사용됩니다. 또한 강황은 기억력 개선, 노화 관련 인지 기능 저하 위험 감소 등 뇌 건강에 대한 잠재적 효능에 대한 연구도 진행되었습니다.

강황은 의학적 특성 외에도 특히 인도 및 중동 요리에서 요리 향신료로 널리 사용됩니다. 밝은 노란 주황색에 따뜻하고 약간 쓴맛이 나는 강황은 카레, 수프, 쌀 요리의 맛을 내는 데 자주 사용됩니다. 강황 보충제는 캡슐이나 정제 형태로도 판매되며, 통증 완화를 위해 비스테로이드성 항염증제(NSAID)의 천연 대체제로 사용되기도 합니다.

강황은 일반적으로 안전한 것으로 간주되지만 특정 약물과 상호 작용할 수 있으며 일부 개인에게는 소화 문제 및 알레르기 반응과 같은 부작용을 일으킬 수 있습니다. 다른 허브

보충제와 마찬가지로 강황을 의학적 목적으로 사용하기 전에 의료 전문가와 상담하는 것이 중요합니다.

마늘(Garlic): 수세기 동안 면역 체계를 강화하고 호흡기 감염을 치료하는 데 사용되어 왔으며, 현재는 심혈관 질환에 대한 잠재적인 효능을 인정받고 있습니다.

마늘은 수세기 동안 의학적 특성으로 높이 평가되어 왔으며 요리에도 일반적으로 사용되는 허브입니다. 마늘은 양파, 샬롯, 부추와 함께 부추과에 속하는 허브입니다. 마늘에는 알리신과 같은 유황 화합물이 많이 함유되어 있어 건강에 도움이 되는 것으로 알려져 있습니다.

전통적으로 마늘은 면역 체계를 강화하고 감기나 독감과 같은 호흡기 감염을 치료하는 데 사용되어 왔습니다. 또한 고혈압, 고콜레스테롤혈증 및 기타 심혈관 질환을 치료하는 데도 사용되었습니다. 연구에 따르면 마늘은 혈압을 낮추고 콜레스테롤 수치를 낮추며 혈류를 개선하는 능력으로 인해 심혈관계 질환에 잠재적인 효능이 있을 수 있다고 합니다.

일부 연구에서는 마늘이 항암 효과가 있으며 위암이나 대장암, 전립선암과 같은 특정 유형의 암 위험을 줄이는 데 효과적일 수 있다고 제안하기도 했습니다. 하지만, 이러한 결과를 확인하기 위해서는 더 많은 연구가 필요합니다.

마늘은 날것의 신선한 통마늘, 보충제, 추출물 등 다양한 형태로 섭취할 수 있습니다. 일반적으로 마늘은 음식이나 조미료로 정상적인 양을 섭취할 경우 대부분의 사람에게 안전한 것으로 간주됩니다. 하지만 마늘보충제를 과다 섭취하면 구취, 체취, 위장 장애 등의 부작용이 발생할 수 있습니다. 또한 특정 약물과 상호작용할 수 있으므로 마늘 보충제나 추출물을 복용하기 전에 의료 전문가와 상의하는 것이 중요합니다.

이러한 특정 식물 외에도 당뇨병, 고혈압, 암 등 다양한 질환에 전통적으로 사용되어 온 많은 다른 식물들이 있습니다. 전통 약용 식물은 차, 팅크, 찜질 등 다양한 방법으로 제조되며, 일반적으로 전통적인 치유법에 따라 투여합니다.

전통 약용 식물은 수세기 동안 사용되어 왔으며 잠재적인 건강상의 이점을 제공할 수 있지만, 모든 식물이 섭취하기에 안전한 것은 아니며 모든 전통적 용도가 과학적으로 검증되지 않았다는 점에 유의해야 합니다. 특히 기존 약물과 함께 사용하는 경우, 전통 약용 식물의 안전성과 효과를 확인하려면 사용 전에 자격을 갖춘 의료 전문가와 상담하는 것이 중요합니다.

고대 의학 텍스트와 관행

고대의 의학 텍스트와 관행은 역사적으로 세계 여러 지역에서 시행된 초기 형태의 의학을 말합니다. 이러한 관행은 당시의 관찰, 경험, 신념을 기반으로 하며 종종 문화적, 종교적 요소의 영향을 받기도 합니다.

가장 유명한 고대 의학 텍스트 중 하나는 서양 의학의 아버지로 여겨지는 그리스 의사 히포크라테스의 저술이 담긴 '히포크라테스 코퍼스'입니다. 이 텍스트는 해부학, 병리학, 진단 및 치료를 포함한 다양한 의학 주제를 다룹니다.

전통 한의학은 수천 년 동안 사용되어 온 또 다른 고대 의료 행위입니다. 여기에는 침술, 한약, 식이요법 등의 기술이 포함됩니다. 이러한 관행은 인체가 장부와 기혈로 이루어진 복잡한 시스템이며, 이러한 기혈을 순행하게 함으로써 건강을 증진하고 질병을 치료할 수 있다는 믿음에 기반합니다.

아유르베다는 5,000년 전 인도에서 시작된 고대 의학 체계입니다. 아유르베다는 허브, 미네랄, 동물성 제품 등 자연 요법을 사용하여 질병을 치료하고 전반적인 건강을 증진하는 것을 강조합니다. 또한 아유르베다 요법은 질병 예방을 위한 식단, 운동, 생활 습관 개선에 중점을 둡니다.

고대 이집트 의학은 광범위하게 연구된 또 다른 초기 의료 시스템입니다. 이집트인들은 질병이 신체 유머(체액)의 불균형으로 인해 발생하며 치료에는 이러한 불균형을 회복하는 것이 포함된다고 믿었습니다. 또한 두개골에 구멍을 뚫는

천공술과 절단술과 같은 수술을 시행하기도 했습니다.

전반적으로 고대 의학 텍스트와 관행에 대한 연구는 역사를 통틀어 의학의 발전과 진화에 대한 귀중한 통찰력을 제공할 수 있습니다. 또한 다양한 지역과 시대의 의료 지식과 관행에 영향을 미친 문화적, 사회적, 정치적 요인을 조명할 수 있습니다. 고대 의학 텍스트와 관행을 조사하면 연구자들이 현대 의학 지식과 관행의 기원과 토대를 이해하고 향후 연구와 혁신을 위한 잠재적 영역을 파악하는 데 도움이 될 수 있습니다.

또한 선조들의 업적과 한계, 의학 분야에 대한 그들의 공헌을 이해하는 데 도움이 될 수 있습니다. 또한 전 세계의 다양한 의료 전통과 관행에 대한 문화적 감수성과 존중의 중요성을 강조할 수 있습니다.

고대의 의학 텍스트와 관행을 탐구하는 것은 의학의 역사에 대한 이해를 풍부하게 하고 시간이 지남에 따라 의학 지식과 관행이 발전해 온 문화적, 사회적 맥락에 대한 귀중한 통찰력을 제공할 수 있습니다.

초기 약물에서 연금술의 역할

현대 화학의 선구자인 연금술은 초기 의약품 개발에 중요한 역할을 했습니다. 연금술사들은 비금속을 귀금속으로 변환하려고 노력했지만, 실험을 통해 의학에 사용되는 새로운 화합물과 기술을 발견하기도 했습니다.

중세 시대에는 연금술이 의학과 밀접하게 연관되어 있었으며 많은 연금술사가 의사이기도 했습니다. 그들은 인체가 우주의 축소판이며 건강과 질병이 자연계와 동일한 원리에 의해 지배된다고 믿었습니다. 연금술사들은 인체의 구성과 질병의 원인에 대한 정교한 이론을 개발했으며, 화학 반응에 대한 지식을 활용하여 신체의 균형을 회복할 수 있다고 믿었던 약을 만들었습니다.

연금술은 초기 의약품 개발에 중요한 역할을 했습니다. 중세 시대 연금술사들은 변형 과정을 통해 비금속을 금으로 변환하여 만병통치약을 만들 수 있다고 믿었습니다. 금을 만들려는 시도는 실패했지만 증류, 여과, 추출을 위한 새로운 기술을 개발하는 등 화학 분야에서 상당한 발전을 이루었습니다.

연금술사들은 또한 초기 의약품에 사용되었던 새로운 물질과 화합물을 개발했습니다. 예를 들어, 역사상 가장 유명한 연금술사 중 한 명은 16세기에 살았던 스위스 의사였던 파라셀수스입니다. 파라셀수스는 전통적인 의학의 가르침을 거부하고 대신 실험과 관찰의 중요성을 강조했습니다. 그는 광물, 식물, 심지어 금속을 포함한 모든 물질에 의학적 특성이 있다고 믿었으며, 연금술에 대한 지식을 활용하여 새로운 의약품을 만들었습니다. 그는 진통제로 사용되던 아편 팅크인 라우다넘과 매독 치료에 사용되던 수은 화합물 등 여러 가지 신약을 개발했습니다.

연금술은 현대 약리학의 발전에도 중요한 역할을 했습니다. 증류 및 추출과 같이 연금술사들이 사용한 많은 기술은 오늘날에도 의약품 생산에 사용되고 있습니다. 연금술사들이 실험과 관찰을 강조한 것은 현재 현대 의학의 초석이 된 과학적 방법의 토대를 마련한 것이기도 합니다.

의학에 대한 기여에도 불구하고 연금술은 결국 과학적 학문으로 인정받지 못했습니다. 17세기와 18세기에 연금술사들은 종종 사기꾼으로 치부되었고, 그들의 방법은 보다 엄격한 과학적 접근법으로 대체되었습니다. 연금술사들이 개발한 많은 물질이 나중에 독성이 있거나 효과가 없는 것으로 밝혀졌지만, 화학 분야에 대한 연금술사들의 공헌은 현대 약리학의 토대를 마련했습니다. 오늘날 과학자들은 수 세기 전 연금술사들이 개발했던 것과 동일한 화학 및 실험의 기본 원리를 사용하여 새로운 의약품과 치료법을 계속 찾고 있습니다.

초기 화학 약물과 그 위험성

합성 의약품이라고도 알려진 초기 화학 약물은 19세기 말과 20세기 초에 처음 개발되었으며, 의학 분야에서 중요한 발전을 이루었습니다. 화학자들이 실험실에서 만든 화학 약품은 특정 질병을 유발하는 병원균이나 생리적 과정을 표적으로 삼도록 화학 구조가 특별히 설계되었습니다. 전통적인 약초 요법과 달리 화학 약품은 일관성과 순도를 높여 대량으로 생산할 수 있었습니다.

그러나 초기의 화학 약물은 상당한 위험과 부작용을 수반했습니다. 이러한 약물 중 상당수는 시장에 출시되기 전에 철저한 테스트를 거치지 않았고 화학적 특성과 잠재적 위험성에 대해서도 잘 알려져 있지 않았습니다. 그 결과 일부 약물은 환자에게 심각한 해를 끼쳤으며, 일부는 위험하거나 효과가 없는 것으로 밝혀져 시장에서 퇴출되기도 했습니다.

예를 들어, 수은은 독성이 강하고 심각한 해를 끼칠 수 있음에도 불구하고 매독 치료제로 흔히 사용되었습니다. 그러나 대다수는 매독을 치료하기 전 수은 중독으로 사망했습니다. 독극물이라고 알려진 비소 역시 매독 치료제를 비롯한 다양한 약물에 사용되었으며, 심지어 일반 건강을 위한 '강장제'로 판매되기도 했습니다.

탈리도마이드는 1950년대와 1960년대에 임산부의 입덧 치료제로 처음 판매되었습니다. 그러나 나중에 임신 중에 이 약물을 복용한 여성에게서 태어난 아이에게 심각한 선천적 결함을 유발하는 것으로 밝혀졌습니다. 마찬가지로 디에틸스틸베스트롤(DES)은 1940년대와 1950년대에 유산을 예방하기 위해 임산부에게 처방되었지만, 나중에 산모와 자녀 모두의 암 및 생식 관련 질환 위험을 증가시키는 것으로 밝혀졌습니다.

초기 화학 약물과 관련된 위험과 부작용으로 인해 20세기가 되어서야 화학 약품의 위험으로부터 환자를 보호하기 위한 규제가 강화되고, 신약 사용 승인에 대한 보다 엄격한 테스트 및 승인 절차가 개발되었습니다. 그러나 약물의 안전성과 효능에 대한 우려는 현대 의료 분야에서 여전히 중요한 문제로 남아 있으며, 새로운 약물이 환자에게 안전하고 효과적인지 확인하기 위해 지속적인 연구와 모니터링이 필요합니다.

약물 사용 및 오용의 역사적 사례

역사적으로 약물을 적절하게 사용하거나 오용한 사례는 많이 있습니다.

1928년 알렉산더 플레밍이 페니실린을 발견하여 세균 감염 치료에 혁명을 일으키고 수많은 생명을 구한 것이 약물 사용의 대표적인 역사적 예입니다. 마찬가지로 백신의 개발로 소아마비, 홍역, 천연두와 같은 치명적인 질병이 퇴치되거나 크게 감소했습니다.

하지만 역사적으로 약물을 오용한 사례도 많이 있었습니다. 예를 들어, 19세기에는 모르핀이 진통제 및 기침 억제제로 널리 처방되어 광범위한 중독과 오피오이드 유행병(opioid epidemic,

미국에서 오피오이드로 인한 사망자가 많아지자 이같이 칭해졌음.)이 발생했습니다. 20세기 초에는 코카인을 국소 마취제로 사용하는 것이 일반적이었지만, 나중에 중독성이 강하고 해롭다는 사실이 밝혀졌습니다.

최근의 약물 오남용 사례로는 항생제 과다 처방으로 인한 항생제 내성 박테리아의 발생과 오피오이드 진통제 남용이 있으며, 이는 현재의 오피오이드 유행병에 기여했습니다.

또한 스포츠에서 경기력 향상 약물을 사용하거나 시설에 수용된 개인의 행동을 통제하기 위해 향정신성 약물을 사용하는 등 비윤리적인 목적으로 약물을 사용하는 사례도 있었습니다. 일부 국가에서는 고문과 심문에 약물을 사용하는 사례도 문서화되어 있습니다.

약물은 건강을 크게 개선하고 생명을 구할 수 있는 잠재력을 가지고 있지만, 안전성과 효능을 보장하기 위해 약물 사용을 신중하게 모니터링하고 규제해야 합니다.

역사를 통틀어 약물의 사용과 오남용은 개인과 사회에 큰 영향을 미쳤습니다. 예를 들어, 19세기에 오피오이드가 널리 사용되면서 광범위한 중독과 중국과 서구 열강 간의 '아편전쟁'이 벌어졌습니다. 20세기에는 탈리도마이드 비극으로 인해 약물 검사 및 승인에 대한 더 엄격한 규정이 마련되었습니다. 1980년대와 1990년대의 HIV/AIDS 유행은 생명을 구하는 항레트로바이러스 치료제의 개발로 이어졌지만, 동시에 의약품에 대한 공평한 접근의 중요성도 부각시켰습니다. 오늘날 오피오이드 유행과 일부 약품의 높은 가격은 의료 분야에서 여전히 주요 과제로 남아 있습니다. 모두를 위한 약물 개발, 규제 및 접근성을 개선하기 위해서는 약물 사용 및 오용의 역사적 사례에서 지속적으로 학습하는 것이 중요합니다.

03
중세 및 르네상스 치료법:
연금술, 약초요법, 컴파운딩

중세 및 르네상스 의학이 현대 진료에 미친 영향

중세와 르네상스 의학은 현대 의학의 발전에 큰 영향을 미쳤습니다. 이 시기에는 의학 연구의 토대를 제공한 그리스와 로마의 고전 의학 텍스트에 대한 관심이 다시 높아졌습니다. 중세 의학에서 가장 영향력 있는 인물 중 한 명은 페르시아 의사 아비센나로, 그의 의학 백과사전 '의학정전(The canon of Medicine)'은 수 세기 동안 유럽 대학에서 널리 사용되었습니다.

중세 시대에는 의과대학과 병원이 발달하여 의학 교육과 실습을 표준화하는 데 도움이 되었습니다. 의사들은 해부학, 수술, 약초 요법 사용에 대한 교육을 받았습니다. 르네상스 시대에는 인쇄기를 비롯한 의학의 새로운 발전이 이루어졌고, 이를 통해 의학 텍스트와 아이디어가 널리 배포되었습니다.

의학 분야에서 가장 중요한 르네상스 인물 중 한 명은

플랑드르의 해부학자 안드레아스 베살리우스로, 2세기 그리스의 저명한 의사였던 갈렌의 전통적 가르침에 도전한 인물입니다. 베살리우스는 직접 해부와 관찰을 수행하여 해부학 연구에 혁명을 일으킨 획기적인 저서인 "인체 구조론(De Humani Corporis Fabrica)"를 출간했습니다.

르네상스 시대에는 다양한 질병을 치료하기 위해 안티몬을 사용하는 등 새로운 의료 관행이 등장하기도 했습니다. 그러나 이러한 관행 중 상당수는 나중에 위험하고 심지어 치명적인 것으로 밝혀졌습니다. 또한 수은의 사용은 매독 치료에 흔히 사용되었지만 심각한 부작용과 독성을 초래했습니다.

중세와 르네상스 시대는 현대 의학의 발전에 있어 중추적인 시기였습니다. 이 시기의 의학 지식과 관행의 발전은 오늘날 우리가 사용하는 많은 의료 개념과 관행의 토대를 마련했습니다. 이 시기의 일부 방법과 신념은 현대의 기준으로는 조잡하거나 야만적으로 보일 수 있지만, 의학 지식을 발전시키고 현대 의학의 발전에 기여하는 데 결정적인 역할을 했습니다. 증거를 기반으로 한 진료, 의학교육 및 기관의 발전은 현대 의학에서 여전히 중요합니다. 의학의 역사를 이해함으로써 우리는 우리보다 앞서 온 사람들의 도전과 업적에 대해 더 깊이 감사할 수 있으며, 오늘날 우리가 사용하는 의료 관행을 지속적으로 개선하고 개선할 수 있습니다.

약초학 및 식물 의학의 부상

약초학 및 식물 의학의 사용은 여러 문화와 문명을 아우르는 길고 풍부한 역사를 가지고 있습니다. 고대에는 식물이 약의 주요 공급원이었으며, 전통적인 치료사들은 약용 식물에 대한 지식에 의존하여 다양한 질병을 치료했습니다.

약초학은 유럽 전역에서 약초와 식물을 널리 사용하던 중세와 르네상스 시대에 특히 인기를 얻었습니다. 이 기간 동안 많은 새로운 약용 식물이 발견되고 재배되었으며, 이러한 식물의 다양한 용도를 기록하는 책이 저술되었습니다.

이 시대의 가장 유명한 작품 중 하나는 중세 의사들이 널리 사용했던 약초 요법과 약용 식물에 대한 설명을 모은 아풀레이우스 플라토니쿠스의 "식물 표본집"이었습니다. 다른 유명한 작품으로는 독일의 신비주의자이자 치료사였던 힐데가르트 폰 빙엔의 "피지카"와 중세와 그 이후에도 큰 영향을 끼친 그리스 의사 디오스코리데스의 "데 마테리아 메디카"가 있습니다.

대항해 시대에 유럽 탐험가들은 아메리카, 아시아, 아프리카에서 새로운 약용 식물을 많이 발견했고, 이로 인해 약초와 식물 의학에 대한 관심이 급증했습니다. 이러한 식물의 대부분은 전통적인 약초 요법에 통합되었고, 식물의 특성과 효과를 바탕으로 새로운 요법이 개발되었습니다.

오늘날에도 약초학 및 식물 의학은 전 세계 여러 지역에서 중요한 연구 및 진료 분야로 자리 잡고 있습니다. 서양에서는 현대 의학이 전통적인 약초 요법을 상당 부분 대체했지만, 많은 사람들이 기존 치료법을 보완하거나 의약품의 자연적인 대안으로 약초 요법을 계속 사용하고 있습니다. 최근 몇 년 동안 약용 식물의 잠재적인 건강상의 이점에 대한 관심이 다시 높아지면서 많은 전통 약용 식물의 치료 효과를 탐구하기 위한 과학적 연구가 시작되었습니다.

약초학과 식물 의학은 오늘날에도 여전히 인기가 있으며, 많은 사람들이 자연적이고 전반적으로 이용할 수 있는 건강 관리 방법을 찾고 있습니다. 현대 의학은 질병을 치료하고 치료하는 데 큰 진전을 이루었지만, 일부 사람들은 여전히 경미한 질병에 전통 요법을 사용하거나 의학적 치료를 보완하는 것을 선호합니다. 이로 인해 약초와 식물 의학에 대한 관심이 높아지면서 많은 의사와 연구자들이 다양한 식물과 허브의 효능과 잠재적 위험성을 연구하고 있습니다.

또한 많은 제약 회사들도 합성 의약품에 대한 보다 안전하고 효과적인 대안을 제공할 수 있는 천연물을 신약 개발에 활용하기 위해 연구하고 있습니다. 약초와 식물 의학에 대한 관심이 계속 증가함에 따라 환자에게 최상의 결과를 보장하기 위해 전통 치료법과 증거 기반 의학 간의 균형을 유지하는 것이 중요합니다.

컴파운딩(배합 조제) 및 약물 준비 기술

컴파운딩 및 약물 준비 기술은 시중에서 판매되지 않거나 개별 환자의 요구를 충족하기 위해 특별한 제형이 필요한 약물을 준비하는 과정을 말합니다. 컴파운딩이란 환자의 특정 요구 사항에 따라 맞춤형 의약품을 준비하는 기술과 과학으로 정의할 수 있습니다. 이 관행은 약학 분야에서 고대로 거슬러 올라가는 오랜 역사를 가지고 있으며 현대 의학의 발전에 중요한 역할을 해왔습니다. 컴파운딩 및 약물 준비 기술은 수세기에 걸쳐 크게 발전해 왔으며 현대에서 의약품 컴파운딩은 통제된 환경에서 개인 맞춤형 의약품을 준비하는 고도로 규제된 관행입니다.

컴파운딩 과정에는 다양한 성분을 정확한 용량으로 조합하여 개인의 필요에 맞는 약을 만드는 과정이 포함됩니다. 이러한 성분에는 활성 의약품 성분, 부형제 및 최종 제품의 제형에 필요한 기타 물질이 포함될 수 있습니다. 컴파운딩 과정은 약물의 혼합, 희석 또는 제형 변경 등 다양한 형태로 수행될 수 있습니다.

컴파운딩 약국(미국)은 맞춤형 의약품의 주요 공급원이며, 환자의 고유한 요구를 충족하는 데 중요한 역할을 합니다. 조제 의약품은 통증 관리, 호르몬 요법, 피부과 질환 등 다양한 질환을 치료하는 데 사용할 수 있습니다. 또한 어린이, 노인 환자, 특정 알레르기나 과민증이 있는 사람을 위한 약을 준비하는 데에도 사용할 수 있습니다.

약물 준비 기술 또한 컴파운딩 공정의 필수적인 부분입니다. 이러한 기술에는 오염을 방지하기 위해 멸균 환경에서 의약품을 조제하는 무균 조제와 멸균이 필요하지 않은 의약품을 조제하는 비멸균 조제가 포함됩니다. 컴파운딩 약사는 적절한 성분을 선택하고, 정확하게 측정 및 혼합하며, 의약품의 안전성과 효능을 보장하기 위해 엄격한 품질 관리 기준을 준수해야 합니다. 최종 제품이 필요한 품질 및 안전 표준을 충족하는지 확인할 책임이 있습니다.

조제 외에도 정제 압축, 코팅, 캡슐화 등 다양한 방법으로 의약품을 제조하는 기술이 발전했습니다. 이러한 기술을 통해 의약품을 대량으로 제조할 수 있게 되어 비용을 절감하고 접근성을 개선하는 데 도움이 되었습니다.

컴파운딩 및 약물 준비 기술은 환자의 특정 요구 사항을 충족하는 맞춤형 약물을 제공함으로써 현대 의료에서 중요한 역할을 합니다. 조제 업무는 약학 분야에서 오랜 역사를 가지고 있으며 기술 및 제약 과학의 발전과 함께 계속 발전하고 있습니다. 더불어 약물 제조 기술의 발전으로 안전하고 효과적인 방식으로 맞춤형 의약품을 대량 생산할 수 있게 되었으며, 전 세계 수백만 명의 건강과 웰빙을 개선하는 데 도움이 되었습니다.

중세와 르네상스 시대의 약물 사용의 역사적 사례

중세와 르네상스 시대에는 주로 식물, 동물, 광물 등 자연에서 추출한 약을 사용했습니다. 이러한 의약품의 대부분은 발열, 감염, 소화기 질환과 같은 일반적인 질병을 치료하는 데 사용되었습니다.

하지만 과학적 지식이 부족하고 미신의 영향으로 인해 많은 약과 치료법이 효과가 없거나 심지어 해롭게 사용되기도 했습니다.

이 시기에 사용된 약물의 한 가지 예는 모든 질병을 치료할 수 있다고 믿었던 다양한 허브와 미네랄의 복합 혼합물인 테리악(중세의 해독제)이었습니다. 매독 치료에 사용되었지만 독성으로 인해 종종 수은 중독을 초래하는 수은도 인기 있는 약 중 하나였습니다. 비소 역시 다양한 질병을 치료하는 데 사용되었지만 역시 신체에 독성 영향을 미쳤습니다.

이 시기에는 약초 요법 외에도 사혈이 일반적인 의료 행위였습니다. 의사들은 몸에서 '나쁜 피'를 제거하면 환자의 건강이 개선될 것이라고 믿었지만, 이 관행은 종종 감염 및 기타 합병증을 초래했습니다.

일부 약물과 관련된 위험에도 불구하고 르네상스 시대에는 해부학 및 해부학의 발달로 인체에 대한 이해가 높아지면서 의학 지식과 기술이 향상되었습니다. 이 시기에는 화학 화합물의 사용과 말라리아 치료를 위한 퀴닌과 같은 신약의 개발로 약리학도 발전했습니다. 이러한 신약 및 치료법 개발은 의학 역사에서 중요한 진전이었습니다. 이는 전 세계 사람들의 건강 상태를 개선하는 데 도움이 된 약리학 및 신약 개발의 미래 발전의 토대를 마련했습니다.

중세와 르네상스는 현대 의학의 발전에 중요한 역할을 했으며, 자연요법의 사용과 의학 지식의 발전으로 새로운 치료법과 의료 접근법의 토대가 마련되었습니다.

종교와 마술이 약물 사용에 미친 영향

역사적으로 종교와 마법은 약물 사용에 중요한 역할을 해왔습니다. 많은 고대 문화권에서 치료사는 영적 지도자였으며, 그들의 치료 방법에는 기도, 의식, 신성한 물건의 사용이 포함되는 경우가 많았습니다. 어떤 경우에는 치료의 종교적 또는 마법적 측면이 사용된 약초나 기타 물질의 의학적 특성만큼 중요하다고 여겨지기도 했습니다. 종교적 관습과 신념은 약용 식물과 물질의 사용에 영향을 미쳤습니다. 예를 들어 고대 이집트에서는 의학과 종교가 밀접하게 얽혀 있었으며 약용 식물의 사용은 종종 종교 의식 및 신에게 바치는 제물과 관련이 있었습니다.

중세와 르네상스 시대에는 가톨릭 교회가 약물 사용에 큰 영향을 미쳤습니다. 중세 유럽에서는 가톨릭 교회가 의약품 규제에 중요한 역할을 했으며, 많은 종교 단체가 의약품의 생산과 유통에 관여했습니다. 교회는 질병이 죄의 결과라고 믿었고 치유의 수단으로 기도와 종교 의식을 사용하도록 장려했습니다. 많은 수도원에는 약초를 재배하여 병을 치료하는 데 사용하는 정원이 있었습니다. 수도원은 종종 학문과 의료 행위의 중심지였으며, 많은 수도사들이 약용 식물 사용에 능숙했습니다 종교 외에도 마법과 초자연적인 것에 대한 믿음도 널리 퍼져 있었습니다. 마술은 많은 문화권에서 의약품 사용에 중요한 역할을 했습니다. 많은 사람들이 질병이 악마나 저주 때문에 발생한다고 믿었고, 약을 사용할 때는 종종 이러한 힘을 물리치기 위한 의식과 주문이 포함되었습니다. 고대 그리스와 같은 일부 사회에서는 마법의 주문을 사용하는 것이 합법적인 치료의 한 형태로 여겨졌으며 일부 약초 요법은 특정 말이나 행동과 함께 사용할 때 특히 효과적이라고 믿었습니다. 마찬가지로 중국 전통 의학에서도 침술과 다른 형태의 전통적 치료법을 사용하는 것은 종종 신비주의적이고 영적인 믿음과 관련이 있었습니다.

하지만 종교와 마술이 약물 사용에 미치는 영향이 항상 긍정적인 것만은 아니었습니다. 어떤 경우에는 종교적, 미신적 신념으로 인해 효과가 없거나 심지어 해로운 치료법을 사용하기도 했습니다. 예를 들어, 중세 시대에는 ' doctrine of signatures'에 대한 믿음으로 인해 특정 식물이 다양한 신체 부위와 신체적으로 닮았다는 이유로 특정 식물을 사용하게 되었습니다. 이러한 관행은 과학보다는 미신에 근거한 것이었지만 때로는 효과적인 치료법이 되기도 했습니다.

종교와 마법이 약물 사용에 미치는 영향은 복잡하고 다양하며, 긍정적인 영향과 부정적인 영향이 모두 존재합니다. 종교적, 미신적 신념은 때때로 효과적이지 않거나 해로운 치료법을 사용하게 만들기도 했지만, 전통 의학의 발전과 약용 식물의 사용에도 중요한 역할을 해왔습니다.

오늘날에도 종교와 마법은 일부 약물 사용, 특히 전통적인 치유 관행에서 여전히 중요한 역할을 합니다. 많은 문화권에서 전통적인 치료사는 영적 지도자이기도 하며 기도, 의식 및 기타 영적 관행을 의학적 치료와 함께 사용할 수 있습니다. 그러나 이러한 관행이 항상 과학적 증거에 의해 뒷받침되는 것은 아니며 때로는 해로울 수 있다는 점에 유의하는 것이 중요합니다.

04
18세기 약리학:
활성 성분의 발견

과학적 의학 및 약리학의 등장

18세기에는 과학적 방법이 등장하고 엄격한 실험과 관찰이 인간의 건강과 질병 연구에 적용되면서 의학 및 약리학 분야에서 상당한 발전이 이루어졌습니다.

이 시기의 가장 중요한 발전 중 하나는 의과대학의 설립과 의료 분야의 전문화였습니다. 이 시기 이전에는 공식적인 훈련이나 교육을 받지 않은 개인이 의술을 행하는 경우가 많았고, 의학 지식은 주로 전통적인 신념과 관습에 기반을 두고 있었습니다.

그러나 18세기에 의과대학에서 해부학, 생리학 및 기타 과학 분야에 대한 공식적인 교육을 제공하기 시작하면서 의료 행위가 보다 표준화되고 규제되기 시작했습니다. 이로 인해 증거 기반 진료와 질병 진단 및 치료를 위한 과학적 방법의 사용이 더욱 강조되었습니다.

이 시기에는 신약이 개발되고 안전성과 효능을 테스트하는 방법이 개선되는 등 약리학도 큰 변화를 겪었습니다. 수세기 동안 흔히 사용되던 식물성 요법과 약초의 사용도 과학적 연구가 강화되면서 이러한 요법을 준비하고 조제하는 보다 표준화된 방법이 개발되었습니다.

이 시기 과학 의학 및 약리학의 출현에 있어 주목할 만한 인물 중 한 명은 스코틀랜드의 의사이자 과학자인 윌리엄 컬렌으로, 그는 약리학 연구에 큰 공헌을 했으며 의학에서 과학적 방법의 사용을 일찍이 옹호했습니다. 천연두 백신을 최초로 성공적으로 개발한 에드워드 제너와 선구적인 해부학자이자 외과의사인 존 헌터도 중요한 인물입니다.

전반적으로 18세기 과학 의학과 약리학의 등장은 인간의 건강과 질병을 이해하고 치료하는 방식에 큰 변화를 가져왔으며, 오늘날 우리가 당연하게 여기는 많은 의학 발전의 토대를 마련했습니다.

의약품에서 활성 성분의 발견과 사용

18세기에는 의약품의 활성 성분과 인체에 미치는 영향을 이해하는 데 대한 관심이 높아졌습니다. 이러한 관심은 치료 효과를 개선하고 의약품의 유해한 부작용을 줄이려는 열망에 의해 주도되었습니다.

이 중 하나는 식물 및 기타 천연 물질에서 특정 활성 성분을 분리하고 식별하는 것이었습니다. 이 과정에는 원료에서 화학

물질을 추출한 다음 그 효과를 확인하기 위한 신중한 분석과 테스트가 포함되었습니다.

대표적인 예로 말라리아의 주요 치료제인 퀴닌을 발견한 것이 있습니다. 퀴닌은 1630년대에 신초나 나무 껍질에서 처음 추출되었지만, 18세기에 이르러서야 활성 성분인 퀴니딘이 분리되고 동정되었습니다. 이를 통해 보다 정확한 투여량이 가능해졌고 치료 효과도 개선되었습니다.

18세기의 또 다른 중요한 발전은 약물이 인체에 미치는 영향을 연구하기 위해 실험 방법을 사용한 것입니다. 여기에는 동물과 사람을 대상으로 약물을 테스트하고 그 효과를 주의 깊게 기록하는 것이 포함되었습니다. 이를 통해 연구자들은 다양한 물질의 약리학적 특성을 더 잘 이해하고 더 효과적인 치료법을 개발할 수 있었습니다.

18세기 후반에 수세기 동안 심장병 치료제로 사용되어 온 디기탈리스 식물의 활성 성분을 확인하기 위해 실험 방법을 사용한 윌리엄 위더링의 연구가 그 대표적인 예입니다. 위더링은 디곡신이라는 화합물을 활성 성분으로 밝혀냈고, 이 발견을 바탕으로 보다 효과적이고 정밀한 심장병 치료제를 개발했습니다.

전반적으로 18세기에 약물의 활성 성분을 발견하고 사용한 것은 현대 약리학의 발전에 중요한 진전을 이루었습니다. 이를 통해 보다 정확한 투약량을 사용하고 치료 효과를 개선할 수 있었으며 오늘날 우리가 의존하는 많은 의약품 개발의 토대가 마련되었습니다.

특허 의약품의 부상과 그 위험성

18세기에는 다양한 질병에 대한 자가 치료의 한 형태로 이른바'특허 의약품'이 점점 인기를 얻게 되었습니다. 이러한 의약품은 두통과 소화불량부터 결핵과 암과 같은 심각한 질환까지 치료할 수 있다는 만병통치약으로 판매되었습니다. 일반적으로 처방전 없이 일반 의약품으로 판매되었고 규제 없이 판매되는 경우가 많았으며, 라벨에 기재되지 않은 다양한 성분이 함유되어 있었습니다.

특허 의약품의 주요 판매 포인트 중 하나는 먼 나라에서 온 이국적이거나 특이한 물질로 추정되는 "비밀" 성분이었습니다. 여기에는 아편, 대마초, 수은과 같이 강력한 약효가 있는 것으로 여겨지는 성분이 포함되었습니다. 코카인, 아편, 알코올과 같은 물질이 포함되어 있는 것은 중독성이 강하고 건강에 심각한 영향을 미칠 수 있었습니다.

일부는 단순히 효과가 없었고, 일부는 오염이나 부적절한 투약으로 인해 해를 끼치기도 했습니다. 상당수는 독성이 강해 섭취하는 사람에게 심각한 해를 끼칠 수 있었습니다. 예를 들어, 수은은 신경 손상 및 기타 건강 문제를 유발하는 것으로 알려져 있음에도 불구하고 많은 특허 의약품의 공통 성분으로 사용되었습니다.

또한, 특허 의약품에 대한 규제가 미비하여 많은 제품이 안전성과 효능에 대한 적절한 테스트나 평가를 받지 못했습니다. 이로 인해 실제 의학적 가치가 없는 뱀 기름에 불과한 제품이 확산되기도 했습니다.

이러한 위험에도 불구하고 특허 의약품은 공격적인 마케팅 및 광고 캠페인에 힘입어 18세기 내내 계속 인기를 끌었습니다. 이러한 캠페인의 대부분은 건강에 대한 사람들의 두려움과 불안을 이용해 다양한 질병과 질환을 완화할 수 있다고 약속했습니다.

특허 의약품의 안전성과 효능에 대한 우려가 커지자 20세기 초가 되어서야 각국 정부는 관련 산업을 더욱 엄격하게 규제하기 시작했습니다. 1906년 제정된 순수 식품 및 의약품법(Pure Food and Drug Act)에 따라 기업은 제품에 정확한 라벨을 부착해야 했고, 부정 또는 허위 표시된 식품과 의약품의 판매를 금지했습니다.

오늘날 '특허 의약품'이라는 용어는 더 이상 흔히 사용되지 않지만, 일부 일반의약품과 건강보조식품의 안전성과 효능에 대한 우려는 여전히 존재합니다. 소비자는 라벨을 주의 깊게 읽고, 의료 전문가와 상담하며, 비현실적이거나 과장된 주장을 하는 제품에 주의하는 것이 좋습니다.

규제 기관의 노력에도 불구하고 검증되지 않고 규제되지 않은 의약품과 관련된 위험은 여전히 우려스러운 상황이며, 특히 인터넷이 발달하고 검증되지 않은 의료 정보가 광범위하게 유통되는 시대에는 더욱 그렇습니다.

의약품 개발에서 화학의 역할

18세기에 화학 분야는 초기 단계에 있었지만 의약품 개발에 중요한 역할을 했습니다. 18세기의 의약품 개발은 주로 수세기 동안 의학적 특성으로 사용되어 온 식물과 광물에 대한 전통적인 지식을 기반으로 이루어졌습니다. 그러나 화학이라는 새로운 과학이 등장하면서 의약품 개발에 대한 보다 체계적인 접근이 가능해졌습니다.

18세기 의약품 개발에서 가장 중요한 발전 중 하나는 의학적 특성을 지닌 식물과 광물에서 특정 화합물을 분리하고 동정하는 것이었습니다. 예를 들어, 1769년 스코틀랜드의 의사 윌리엄 컬런은 수세기 동안 말라리아 치료에 사용되던 페루산 나무껍질에서 활성 성분을 분리했습니다. 컬른은 이 화합물에 퀴닌이라는 이름을 붙였고, 퀴닌은 19세기와 20세기 초에 말라리아의 중요한 치료제가 되었습니다.

화학은 합성 의약품 개발에도 중요한 역할을 했습니다. 1806년 독일의 약사 프리드리히 세르투르너는 아편에서 모르핀이라는 화합물을 분리했습니다. 모르핀은 강력한 진통제로 의학에서 널리 사용되었습니다. 이후 1856년 영국의 화학자 윌리엄 헨리 퍼킨은 우연히 최초의 합성 염료를 발견하여 아스피린과 페노바르비탈과 같은 합성 약물을 개발하게 됩니다.

18세기에 분석 화학 기술이 발달하면서 연구자들은 약물의 특성과 인체에 미치는 영향을 더 잘 이해할 수 있게 되었습니다. 예를 들어 프랑스 화학자 앙투안 라부아지에는 가스 분석 기술을 개발하여 호흡과 신진대사를 연구할 수 있었습니다. 이 연구는 현대 약리학 및 약물 대사 연구의 토대를 마련했습니다.

또한 화학은 약물 투여 및 전달 방법을 개선함으로써 18세기 약물 개발에 중요한 역할을 했습니다. 한 가지 예로 매독 치료에 수은을 사용한 것을 들 수 있습니다. 수은은 항균 특성으로 잘 알려져 있었지만 경구 투여 시 독성이 있었습니다. 그러나 19세기 후반 독일의 의사 폴 에를리히(Paul Ehrlich)는 특정 화학적 변형을 통해 수은의 항균성을 유지하면서 독성을 줄일 수 있다는 사실을 발견했습니다. 이를 통해 매독에 효과적인 수은 기반 약물이 개발되었습니다.

약물 조제 및 품질 관리의 표준화에도 중요한 역할을 했습니다. 18세기 이전에는 전통 지식과 실험에 의존하는 약사들이 약을 조제하고 조제했습니다. 그러나 화학이 등장하면서 특정 화학 공정과 공식에 따라 약물을 조제하고 표준화할 수 있게 되었습니다. 이를 통해 약품의 품질과 용량을 일관성 있게 관리할 수 있게 되었고, 환자 치료 결과를 개선하고 독성 위험을 줄일 수 있었습니다.

18세기에는 약물이 신체와 상호 작용하는 방식을 연구하는 약리학 연구에도 상당한 발전이 있었습니다. 이 분야는 약물의 효능이 약물의 화학적 특성과 신체와의 상호 작용에 달려 있다고 제안한 스위스의 의사이자 연금술사인 파라셀수스의 연구에 큰 영향을 받았습니다. 이 아이디어는 나중에 약물이 신체에 미치는 영향과 약물 대사에서 간의 역할에 대한 실험을 수행한 클로드 베르나르 등 다른 과학자들에 의해 확장되었습니다.

결론적으로 18세기 의약품 개발에서 화학의 역할은 다각적이었으며 의학 발전에 매우 중요했습니다. 화학을 통해 약효가 있는 식물과 광물에서 특정 화합물을 분리 및 동정하고, 합성 약물을 개발했으며, 분석 화학 기술을 사용하여 약물의 특성과 인체에 미치는 영향을 더 잘 이해할 수 있게 되었습니다. 또한 약물 투여 및 전달 방법의 개선에 이르기까지 화학은 현대 의학 및 신약 개발의 토대를 마련했습니다.

18세기 약물 사용의 역사적 사례

18세기는 의학과 약학이 크게 발전한 시기였습니다. 이 시기에는 화학의 새로운 발견과 인체에 대한 이해가 새로운 약물과 치료 접근법의 개발로 이어졌습니다.

18세기에 주목할 만한 발전 중 하나는 말라리아 치료를 위해 신초나 나무 껍질에서 발견되는 화합물인 퀴닌이 널리 사용되었다는 점입니다. 1738년 스코틀랜드의 의사 찰스 알스턴은

말라리아 치료에 신초나 나무 껍질을 사용하는 방법에 관한 책을 출간했고, 세기 말에는 퀴닌이 말라리아의 표준 치료법으로 자리 잡게 되었습니다.

18세기에 개발된 또 다른 중요한 약물은 천연두 백신이었습니다. 1796년 영국의 의사 에드워드 제너는 덜 심각한 질병인 우두를 앓았던 우유배달부가 천연두에 걸리지 않는 것을 관찰했습니다. 그는 우두에 노출되면 천연두에 대한 면역이 생긴다는 가설을 세우고 어린 소년에게 우두를 감염시킨 후 나중에 천연두에 노출시키는 실험을 시작했습니다. 이 소년은 천연두에 걸리지 않았고, 제너의 발견은 천연두 예방책으로 백신 접종이 널리 사용되는 계기가 되었고 전염병과의 전쟁에서 전환점이 되었으며 향후 백신 개발의 토대를 마련했습니다.

아편은 양귀비 식물에서 추출한 중독성이 강한 물질로 18세기에는 통증 완화 및 수면 유도를 위해 널리 사용되었습니다. 아편은 수세기 동안 사용되어 왔지만 이 시기에 더 쉽게 구할 수 있게 되었고, 아편의 중독성 때문에 남용이 광범위하게 이루어졌습니다.

또 다른 중요한 발전은 아편 양귀비에서 모르핀, 신초나 나무껍질에서 퀴닌 등 약용 식물에서 발견되는 다양한 화합물을 분리하고 동정하는 것이었습니다. 이러한 발견은 다양한 질병에 대한 보다 표적화되고 효과적인 치료법 개발로 이어졌습니다.

18세기에 개발된 다른 약물로는 심장 질환 치료에 사용되는 디기탈리스(디기탈리스 식물에서 추출한 화합물), 다양한 질환 치료에 사용되었지만 현재는 독성이 강한 것으로 알려진 수은 등이 있습니다.

그러나 18세기에는 규제되지 않은 위험한 '돌팔이' 치료법과 특허 의약품이 등장하기도 했습니다. 이러한 제제 중 상당수에는 유해하거나 중독성 있는 물질이 포함되어 있었으며, 이러한 제제의 사용은 사회에서 약물 남용 문제를 증가시키는 데 기여했습니다. 정부 규제의 부재로 인해 소비자는 이러한 제품에 현혹되거나 피해를 입을 위험에 처하는 경우가 많았습니다.

05
19세기 의약품 산업화와 의약품 표준화

의약품 생산에서 산업화의 역할

19세기에는 산업혁명으로 인해 의약품 생산이 크게 발전했습니다. 이 시기에는 대규모 제약 회사가 등장하여 산업 공정을 통해 공장에서 의약품을 생산하기 시작했습니다. 이를 통해 의약품의 대량 생산과 복용량 및 제형의 표준화가 가능해 졌습니다.

이 시대의 주요 인물 중 한 명은 1804년 아편에서 모르핀을 분리한 프리드리히 세르투르너였습니다. 이 발견은 코데인, 헤로인 등 아편에서 추출한 다른 많은 약물의 개발로 이어졌습니다. 또한 이 시대에는 1832년 최초의 합성 약물인 염소 수화물이 합성되었습니다.

산업화의 도래와 함께 정제나 캡슐과 같은 새로운 약물 전달 시스템도 개발되어 환자가 약물을 더 쉽게 복용할 수 있게 되었습니다. 또한 새로운 화합물의 발견으로 이전에는 치료할 수 없었던 질병에 대한 보다 효과적인 치료법을 개발할 수 있게 되었습니다.

그러나 이 시기에는 대량 생산과 수익에 초점을 맞추다 보니 효과가 없거나 심지어 해로운 약품이 많이 생산되었고, 효과에 대한 허위 또는 과장된 주장이 판을 치기도 했습니다. 이 시기에는 규제와 감독의 부재로 인해 알코올, 아편 또는 기타 중독성 물질이 다량 함유된 특허 의약품과 같이 잠재적으로 위험한 의약품이 널리 유통되었습니다.

이러한 위험에도 불구하고 의약품 생산의 산업화는 오늘날에도 여전히 사용되고 있는 많은 생명을 구하고 삶을 개선하는 의약품 개발의 토대를 마련했습니다.

19세기와 20세기 동안 산업화는 의약품 생산에 중요한 역할을 했습니다. 의약품에 대한 수요가 증가함에 따라 제약 회사는 새로운 기술을 사용하여 대량의 의약품을 효율적으로 생산하기 시작했습니다. 화학 합성이 약품 생산의 주요 방법이 되면서 천연 자원으로는 얻을 수 없었던 새롭고 복잡한 분자를 만들 수 있게 되었습니다. 그 결과 항생제, 호르몬, 백신을 비롯한 많은 신약이 개발되었습니다.

또한 산업 기술의 발전으로 표준화되고 일관된 방식으로 의약품을 제조할 수 있게 되어 의약품의 안전성과 효과가 향상되었습니다. 의약품이 대중에게 판매되기 전에 특정 기준을 충족하는지 확인하기 위해 테스트 및 라벨링 요건과 같은 품질 관리 조치가 시행되었습니다.

그러나 의약품의 대량 생산은 오염 가능성 및 새로운 부작용의 발생과 같은 새로운 문제도 야기했습니다. 이로 인해 미국 식품의약국(FDA) 및 유럽 의약품청(EMA)과 같은 정부 기관에서 의약품이 대중이 사용하기에 안전하고 효과적인지 확인하기 위해 규제와 감독을 강화해야 할 필요성이 대두되었습니다.

의약품 표준화 및 규제의 발전

19세기에 의약품 표준화 및 규제의 발전은 의약품의 안전성과 효능을 보장하기 위한 중요한 단계였습니다. 19세기 이전에는 의약품의 생산과 유통에 대한 규제가 거의 없었고, 의약품의 품질과 순도도 천차만별이었습니다.

의약품을 표준화하기 위한 초기 노력 중 하나는 1820년 미국 약전(USP) 초판이 발간된 것이었습니다. USP는 약의 순도, 강도 및 품질에 대한 일련의 표준을 제공했으며, 미국의 약사와 의사들이 널리 채택했습니다. 영국 약전과 프랑스 약전을 비롯한 다른 국가에서도 유사한 약전이 개발되었습니다.

19세기 분석 화학 기술의 발전도 의약품 표준화에 중요한 역할을 했습니다. 예를 들어 독일의 화학자 유스투스 폰 리빅은 유기 화합물을 분석하는 기술을 개발하여 약물 성분을 식별하고 정량화할 수 있게 되었습니다. 이를 통해 특정 화학 공정과 공식에 따라 약물을 제조하여 약물의 품질과 일관성을 개선하는 데 도움이 되었습니다.

의약품의 생산과 유통을 규제하는 규정도 19세기에 등장하기 시작했습니다. 1862년 미국은 연방 정부가 구매하는 의약품이 특정 품질 기준을 충족하도록 요구하는 최초의 연방 약품법인 모릴 법을 통과시켰습니다. 그 후 1906년 순수 식품 및 의약품 법이 제정되어 허위 및 변질된 식품과 의약품의 판매를 금지했습니다.

유럽에서는 19세기에 영국 의학 협회와 같은 규제 기관이 설립되어 의사가 사용할 의약품을 검사하고 승인하기 시작했습니다. 독일 제국도 1901년 최초의 의약품 규제법을 통과시켜 의약품을 등록하고 시판 전에 안전성과 효능에 대한 테스트를 거치도록 의무화했습니다.

전반적으로 19세기에 의약품 표준화 및 규제의 발전은 의약품의 안전성과 효능을 보장하기 위한 중요한 단계였습니다. 약전의 채택과 분석 화학 기술의 발전은 의약품의 품질과 일관성을 개선하는 데 도움이 되었으며, 규제의 도입은 의약품이 환자에게 안전하고 효과적으로 사용될 수 있도록 보장하는 데 도움이 되었습니다. 이러한 발전은 현대 의약품 규제의 토대를 마련했으며, 여전히 의약품 개발 및 유통의 필수 요소로 자리 잡고 있습니다.

미국에서는 1906년 제정된 순수 식품 및 의약품법이 의약품 안전을 규제하는 최초의 연방법이었습니다. 이 법에 따라 제조업체는 의약품 라벨에 유효 성분을 기재해야 했고, 변조되거나 잘못 표시된 의약품의 판매를 금지했습니다. 1930년 미국 식품의약국(FDA)이 설립되면서 의약품 제조 및 유통에 대한 정부의 감독 범위가 더욱 확대되었습니다.

약물 규제의 발전은 전 세계적으로도 영향을 미쳤습니다. 1963년 세계보건기구(WHO)는 표준화된 의약품 제형 및 품질 표준에 대한 참고서인 국제 약전을 만들었습니다. 이를 통해 한 국가에서 생산된 의약품을 다른 국가에서 테스트하고 사용할 수 있도록 승인할 수 있게 되었습니다.

의약품 규제는 시간이 지남에 따라 임상시험, 시판 후 감시, 약물감시에 중점을 두면서 계속 발전해 왔습니다. 오늘날 의약품은 대중에게 판매되기 전에 엄격한 테스트 및 승인 절차를 거쳐야 하며, 잠재적인 안전 문제를 식별하기 위해 지속적인 모니터링이 수행됩니다.

의약품 표준화 및 규제의 발전은 의약품의 안전성과 효능을 보장하는 데 매우 중요하며 공중 보건에 큰 영향을 미쳤습니다.

의약품 표준화 및 규제는 현대의 의약품 개발과 사용에 큰 영향을 미쳤습니다. 오늘날 의약품은 엄격한 테스트와 승인 과정을 거쳐야만 대중에게 시판 및 판매할 수 있습니다. 이 프로세스는 의약품이 용도에 맞게 안전하고 효과적인지, 특정 품질 기준을 충족하는지 확인하는 데 도움이 됩니다.

의약품 표준화 및 규제는 의약품 사용과 관련된 위험을 줄이는 데 도움이 되었으며 환자에게 제공되는 의약품의 전반적인 품질을 향상시켰습니다. 그러나 이 과정은 시간이 오래 걸리고 비용이 많이 들기 때문에 소규모 회사나 희귀 질환 치료제를 개발하는 회사에게는 어려울 수 있습니다.

기술과 과학적 이해가 계속 발전함에 따라 새로운 발전에 발맞추고 의약품의 지속적인 안전성과 효능을 보장하기 위해 의약품 규제가 진화하는 것이 중요해질 것입니다.

합성 의약품의 부상

19세기에는 합성 의약품의 개발과 사용이 크게 증가했습니다. 그 이전에는 주로 식물, 동물, 광물 등의 천연 자원에서 약물을 추출했습니다. 그러나 화학이 과학 분야로 부상하면서 화학자들은 의약품으로 사용할 수 있는 화합물의 합성을 탐구하기 시작했습니다.

최초의 합성 약물 중 하나는 1828년 독일 화학자 요한 안드레아스 부흐너가 합성한 살리실산입니다. 살리실산은 버드나무 껍질에서 추출한 성분으로 수세기 동안 통증과 열을 치료하는 데 사용되어 왔습니다. 그러나 부흐너의 살리실산 합성을 통해 복용량을 일관성 있게 조절할 수 있게 되었고, 천연 원료의 독성 위험을 줄일 수 있었습니다.

19세기 후반, 독일 제약회사 바이엘은 일반적으로 아스피린으로 알려진 아세틸살리실산을 합성했습니다. 아스피린은 진통 및 항염증 효과로 인해 전 세계에서 가장 널리 사용되는 약물 중 하나가 되었습니다.

또 다른 중요한 합성 약물은 1832년 미국의 화학자 저스터스 폰 리빅이 합성한 염소 수화물입니다. 염화수화물은 진정제로 사용되었으며 불면증과 불안을 치료하는 데 널리 사용되는 약물이 되었습니다.

합성 약물의 개발은 부분적으로는 질병에 대한 새롭고 효과적인 치료법을 찾고자 하는 열망에 의해 주도되었습니다. 예를 들어, 1804년 모르핀이라는 화합물의 구조가 발견되면서 덜 강력하지만 효과적인 진통제인 코데인이 합성되었습니다. 또한 합성 약물의 개발로 약물의 화학적 구성과 특성을 더 잘 제어할 수 있게 되어 약물의 효능과 안전성이 향상되었습니다.

그러나 합성 약물의 증가는 안전성과 잠재적인 부작용에 대한 우려로 이어졌습니다. 예를 들어, 합성 진정제인 바비탈은 20세기 초에 출시되어 불안과 불면증 치료에 널리 사용되는 약물이 되었습니다. 그러나 나중에 바비탈이 중독성이 강하고 심각한 건강 문제를 일으킬 수 있다는 사실이 밝혀졌습니다.

전반적으로 19세기 합성 약물의 등장은 의학 역사에서 중요한 이정표가 되었습니다. 합성 의약품은 약물의 화학적 구성과 특성을 더 잘 제어할 수 있게 해주었고, 그 결과 약물의 효능과 안전성이 향상되었습니다. 그러나 합성 의약품의 사용은 의약품이 환자에게 안전하고 효과적인지 확인하기 위한 의약품 규제 및 안전성 테스트의 중요성을 강조하기도 했습니다.

19세기 의약품 사용의 역사적 사례

19세기에는 신약 개발과 약물 전달 방법 개선 등 의학 분야에서 많은 발전이 있었습니다. 이 시기의 가장 중요한 발전 중 하나는 마취의 사용으로 고통 없는 수술이 가능해졌다는 점입니다. 당시에는 에테르와 클로로포름이 두 가지 주요 마취제로 사용되었습니다.

또 다른 중요한 발전은 1796년 에드워드 제너가 천연두 백신을 개발한 것을 시작으로 백신이 발견되었다는 점입니다. 백신 접종은 19세기에 점점 더 널리 보급되어 천연두와 같은 질병을 퇴치하고 소아마비와 같은 다른 질병을 거의 박멸하는 데 기여했습니다.

또한 이 시기에는 1853년에 처음 합성되어 진통제와 해열제로 널리 사용된 아스피린을 비롯한 많은 신약이 개발되었습니다. 아편과 모르핀, 코데인 등의 유도체도 이 시기에 통증 완화를 위해 흔히 사용되었습니다.

하지만 19세기의 약물 사용에는 위험이 따르기도 했습니다.

아편이나 알코올과 같은 위험하고 중독성이 강한 물질이 포함된 특허 의약품은 다양한 질병의 만병통치약으로 대중에게 널리 판매되었습니다. 규제의 부재는 광범위한 남용과 중독으로 이어졌습니다.

19세기는 의학의 중요한 발전과 함께 의약품의 안전성과 효능을 보장하기 위한 규제와 감독의 필요성도 강조되었습니다.

또 다른 중요한 발전은 현대 제약회사가 설립되었다는 점입니다. 이 회사들은 대규모로 약을 생산할 수 있었기 때문에 일반 대중이 더 널리 이용할 수 있게 되었습니다. 또한 신약 개발과 임상시험을 통해 신약의 안전성과 효능을 확인하는 역할도 담당했습니다.

이러한 발전 외에도 19세기에는 예방 접종 프로그램과 하수 시스템 구축과 같은 공중 보건 조치가 도입되어 전염병의 확산을 줄이는 데 도움이 되었습니다. 또한 많은 과학자들이 질병의 원인과 메커니즘을 더 잘 이해하기 위해 노력하면서 의학 연구가 활발히 이루어지던 시기이기도 했습니다.

19세기는 의학 및 약리학 분야에서 급격한 변화와 혁신이 이루어졌던 시기로, 오늘날의 많은 의료 행위와 치료법의 토대를 마련했습니다.

민족주의가 의약품 개발에 미친 영향

19세기에는 각국이 자국의 제약 산업을 발전시키고 수입 의약품에 대한 의존도를 낮추기 위해 노력하면서 민족주의가 의약품 개발에 중요한 역할을 했습니다.

19세기 이전에는 대부분의 의약품을 다른 나라, 특히 유럽에서 수입했습니다. 그러나 민족주의가 부상하면서 각국은 의약품 생산을 국가적 중요 사안으로 간주하고 자국 내 산업을 발전시키려고 노력하기 시작했습니다.

예를 들어, 프랑스에서는 1803년 프랑스 정부가 프랑스 육군과 해군을 위한 의약품을 생산하고 테스트하는 임무를 맡은 최초의 국립 제약 연구소를 설립했습니다. 이 연구소는 이후 에콜 드 파마시 드 파리가 되었으며, 유럽 최고의 제약 기관 중 하나로 남아 있습니다.

마찬가지로 독일에서도 정부가 제약 산업의 연구 개발을 위한 자금을 지원하여 Merck 및 Bayer와 같은 기업이 설립되었습니다. 독일의 제약 산업은 아스피린과 진정제인 염화칼륨 수화물과 같은 의약품을 생산하며 빠르게 세계에서 가장 발전된 산업 중 하나가 되었습니다.

미국에서는 민족주의도 제약 산업 발전에 중요한 역할을 했습니다. 19세기 이전에는 대부분의 의약품을 유럽에서 수입했지만, 민족주의가 부상하면서 미국은 자국 제약 산업을 발전시키려고 노력했습니다. 그 결과 일라이 릴리 앤 컴퍼니, 머크 앤 코와 같은 회사가 설립되어 신약 개발에 중요한 역할을 했습니다.

민족주의는 의약품 규제에도 영향을 미쳤습니다. 각국이 자국의 제약 산업을 발전시키려고 노력하면서 자국 의약품의 안전성과 효능을 보장하기 위해 규제 기관을 설립했습니다. 예를 들어, 미국에서는 1906년 순수 식품 및 의약품법에 따라 식품의약국(FDA)이 설립되어 국내 의약품의 안전성과 효능을 규제하는 업무를 담당했습니다.

전반적으로 19세기에는 각국이 자국 제약 산업을 발전시키고 수입 의약품에 대한 의존도를 낮추기 위해 노력하면서 민족주의가 의약품 개발에 미친 영향이 상당했습니다. 이로 인해 국립 제약 연구소가 설립되고 연구 개발 자금이 지원되었으며, 이는 신약 개발로 이어졌습니다. 각국이 자국 의약품의 안전성과 효능을 보장하기 위해 규제 기관을 설립하면서 국가주의도 의약품 규제에 중요한 역할을 했습니다.

20세기에도 민족주의가 의약품 개발에 중요한 역할을 했습니다. 제2차 세계대전 당시 일본의 제약산업은 국가주의 정책에 큰 영향을 받았습니다. 전쟁이 끝난 후 일본 정부는 해외 수입 의존도를 낮추기 위해 제약 산업에 막대한 투자를 했습니다. 그 결과 메탐페타민과 플루복사민과 같은 신약이 개발되었는데, 이는 일본 환자들을 위해 특별히 고안된 약품이었습니다.

마찬가지로 인도의 제약 산업은 민족주의 정책과 인도의 방대한 인구가 결합하여 20세기에 빠르게 성장했습니다. 1960년대에 인도 정부는 국내 제약 산업을 육성하고 국민들이 보다 저렴하고 쉽게 의약품을 이용할 수 있도록 하는 정책을 도입했습니다. 이로 인해 훨씬 저렴한 가격에 판매되는 브랜드 의약품의 복제약인 제네릭 의약품이 개발되었습니다.

민족주의는 국내 제약 산업을 육성하는 것에서부터 특정 인구를 위한 의약품 개발에 이르기까지 다양한 방식으로 의약품 개발에 영향을 미쳤습니다. 민족주의는 의약품 개발의 경쟁과 혁신을 촉진했지만, 국가별로 의약품 규제와 안전 기준이 세분화되는 결과를 초래하기도 했습니다. 그러나 의료 및 의약품 개발의 글로벌한 특성으로 인해 글로벌 보건 문제를 해결하기 위해서는 국제적인 협력과 협력이 여전히 중요하다는 점에 유의하는 것이 중요합니다.

06
20세기 의학품 항셍제에서 생물학적 제제로

항셍제의 개발과 사용

20세기 항생제의 개발과 사용은 의학의 역사에서 중요한 이정표였습니다. 항생제는 박테리아를 죽이거나 성장을 억제하여 박테리아 감염을 치료하는 데 사용되는 약물의 일종입니다. 항생제가 발견되기 전에는 세균 감염이 특히 제1차 세계대전과 제2차 세계대전 당시 군인들의 주요 사망 원인이었습니다.

최초의 항생제인 페니실린은 1928년 스코틀랜드의 세균학자 알렉산더 플레밍에 의해 발견되었습니다. 플레밍은 페니실리움 노타툼이라는 곰팡이가 당시 치명적인 감염을 일으켰던 황색포도상구균을 비롯한 박테리아의 성장을 억제하는 물질을 생성하는 것을 관찰했습니다. 그러나 1940년대 초가 되어서야 페니실린이 대규모로 생산되어 박테리아 감염 치료에 널리 사용되기 시작했습니다.

페니실린의 발견은 다른 항생제 개발의 문을 열었습니다. 그 후 몇 년 동안 연구자들은 스트렙토마이신, 테트라사이클린, 에리스로마이신 등 새로운 항생제를 발견했습니다. 이러한 항생제는 광범위한 박테리아 감염에 효과적이었으며 감염성 질환 치료에 혁명을 일으켰습니다. 1940년대에 발견된 테트라사이클린은 여드름, 호흡기 감염, 성병 등 광범위한 박테리아 감염에 효과적입니다. 또 다른 중요한 항생제 종류로는 1960년대에 발견된 세팔로스포린이 있습니다. 세팔로스포린은 피부 감염, 호흡기 감염, 요로 감염을 포함한 광범위한 세균 감염을 치료하는 데 사용됩니다.

20세기 중반에 항생제가 널리 사용되면서 세균 감염 발생률이 크게 감소하고 공중 보건 결과가 개선되었습니다. 그러나 항생제의 오용과 남용으로 인해 항생제 내성 박테리아가 출현했으며, 이는 현재에도 공중 보건의 주요 관심사입니다. 항생제 내성은 박테리아가 항생제 효과에 내성을 갖도록 진화하여 발생하며 박테리아 감염을 치료하기 어렵게 만듭니다.

이러한 문제에도 불구하고 항생제는 여전히 박테리아 감염 치료에 중요한 도구로 남아 있습니다. 최근 몇 년 동안 연구자들은 새로운 항생제를 개발하고 파지 요법이나 면역 요법 등 박테리아 감염을 치료하기 위한 대체 접근법을 지속적으로 모색하고 있습니다.

전반적으로 20세기 항생제의 개발과 사용은 의학 역사에서 중요한 이정표가 되었습니다. 항생제는 수많은 생명을 구했으며 세균 감염 치료에 필수적인 도구로 남아 있지만, 항생제의 오용과 남용으로 인해 항생제 내성 박테리아가 출현했습니다. 이는 주요 공중 보건 문제가 되었으며, 항생제 사용을 줄이고 책임감 있게 사용하는 것이 중요합니다. 또한 새로운 항생제를 개발하기 위한 노력이 진행되고 있으며 대한 지속적인 연구와 개발은 증가하는 항생제 내성의 위협을 해결하고 공중 보건 결과를 개선하는 데 필수적입니다.

정신 약리학의 부상

정신약리학은 약물이 기분, 행동, 정신 과정에 어떤 영향을 미치는지 연구하는 학문입니다. 20세기 중반에 등장했으며 이후 정신 질환에 대한 연구와 치료의 중요한 분야가 되었습니다. 정신약리학의 첫 번째 주요 돌파구는 1950년대에 조현병 및 기타 정신질환 치료에 혁명을 일으킨 항정신병 약물 클로르프로마진의 개발이었습니다. 이로 인해 오늘날에도 여전히 널리 사용되는 할로페리돌 및 리스페리돈과 같은 다른 항정신병 약물이 개발되었습니다.

또 다른 중요한 발전은 1950대와 1960년대에 삼환계 및 모노아민 산화효소 억제제와 같은 항우울제(최초의 항우울제인 이미프라민이 개발되었다.)가 개발된 것입니다. 이러한 약물은 우울증 치료에 효과적이었으며 전 세계에서 가장 널리 처방되는 약물이 되었습니다. 1980년대에는 선택적 세로토닌 재흡수 억제제(SSRI)가 도입되었는데, 플루옥세틴 및 세르트랄린과 같은 약물이 개발되었습니다. 이러한 약물은 우울증 증상을 치료하는 데 효과적이었으며 부작용 프로파일이 양호하여 일반적으로 처방되는 항우울제가 되었습니다. 이 일반적인 정신 건강 장애의 치료에 혁명을 일으켰습니다.

1960년대와 1970년대에는 벤조디아제핀과 같은 불안증 치료에 사용되는 약물도 등장했습니다. 디아제팜과 알프라졸람을 포함하는 이러한 약물은 불안을 빠르고 효과적으로 완화하는 능력으로 인해 빠르게 인기를 얻었습니다.

정신약리학의 발달로 주의력 결핍/과잉 행동 장애(ADHD), 양극성 장애 및 기타 정신 건강 상태를 치료하는 데 사용되는 약물도 발견되었습니다. 오늘날에는 이러한 질환을 치료하는 데 사용할 수 있는 다양한 약물이 있으며, 각 약물의 작용 메커니즘과 잠재적인 부작용이 다릅니다.

하지만 향정신성 약물의 사용은 논란과 비판의 대상이 되기도 했습니다. 일부에서는 이러한 약물의 과다 처방 및 오남용 가능성과 체중 증가, 성기능 장애, 자살 위험 증가와 같은 부작용의 가능성에 대해 우려를 표명했습니다. 다른 사람들은 정신과 진단의 타당성과 정신 질환 치료에 대한 이러한 약물의 효과에 의문을 제기했습니다.

이러한 우려에도 불구하고 정신약리학은 여전히 중요하고

빠르게 발전하는 연구 및 개발 분야이며, 부작용이 적고 보다 표적화된 효과적인 약물을 개발하기 위한 연구가 계속되고 있습니다.

의학에서 생물학적 제제의 역할

생물학적 제제는 단백질, 핵산, 세포 등 살아있는 유기체나 그 산물에서 추출한 의약품입니다. 이러한 약물은 질병 과정에 관여하는 특정 분자나 경로를 표적으로 삼을 수 있기 때문에 현대 의학에서 그 중요성이 점점 더 커지고 있습니다. 자가 면역 질환, 암, 감염 등 다양한 질병과 상태를 치료하는 데 사용됩니다. 생물학적 제제는 일반적으로 화학적으로 쉽게 합성되지 않는 크고 복잡한 분자이기 때문에 기존 의약품과 다르며 재조합 DNA 기술이나 기타 생명공학 기술을 사용하여 생산됩니다.

최초의 생물학적 약물인 인슐린은 1920년대에 췌장 조직에서 분리 및 정제되었으며, 1940년대에는 대규모로 생산되어 당뇨병 치료에 혁명을 일으켰습니다. 다른 초기 생물학적 제제에는 약화되거나 죽은 바이러스나 박테리아로 만들어져 전염병을 예방하는 데 사용되는 백신이 포함되었습니다.

20세기 후반에 생물학적 제제는 다양한 질병의 치료에 점점 더 중요해졌습니다. 획기적인 발전은 1970년대에 세포나 바이러스 표면의 특정 분자를 인식하고 결합하도록 설계된 단일 클론 항체의 개발로 이루어졌습니다. 단일 클론 항체는 신체의 특정 세포나 단백질을 표적으로 삼을 수 있는 실험실에서 만든 분자이며 암, 자가 면역 질환, 전염병 등 다양한 의학적 질환을 치료하는 데 사용되었습니다. 암과 자가 면역 질환을 치료하는 데 사용되는 단일 클론 항체는 단일 유형의 면역 세포를 복제하여 생성하는 항체의 동일한 사본을 생성함으로써 만들어집니다. 이러한 항체는 신체의 특정 세포나 분자를 표적으로 삼도록 설계할 수 있으며 기존 화학 요법 약물보다 부작용이 적습니다.

단일 클론 항체 외에도 다양한 의학적 질환을 치료하기 위한 다른 생물학적 제제가 개발되었습니다. 예를 들어 사이토카인은 면역 반응에 관여하는 단백질로 암과 자가 면역 질환 치료에 사용되어 왔습니다. 효소 대체 요법은 고셔병과 파브리병과 같은 유전 질환을 치료하기 위해 개발되었습니다. 신체에 유전자를 삽입하거나 변형하는 유전자 치료법도 유전 질환 치료를 위해 개발되었습니다.

오늘날 생물학적 제제는 류마티스 관절염이나 건선과 같은 자가 면역 질환, 암, B형 및 C형 간염, HIV와 같은 감염성 질환을 포함한 다양한 질환을 치료하는 데 사용됩니다. 생물학적 제제는 특정 유전자를 숙주 세포에 삽입하여 원하는 단백질을 생산하는 재조합 DNA 기술을 포함하여 다양한 방법으로 생산할 수 있습니다.

전반적으로 생물학적 제제의 개발은 많은 질병의 치료에 혁명을 일으켜 환자에게 새롭고 효과적인 치료법을 제공했습니다. 그러나 생물학적 제제는 생산이 더 어렵고 특수한 제조 공정이 필요하기 때문에 일반적으로 기존 의약품보다 가격이 비쌉니다. 또한 더 심각한 부작용이 있을 수 있으며, 생물학적 제제의 개발과 사용에는 안전성과 효능에 대한 신중한 고려가 필요합니다. 그러나 많은 질병을 치료하는 데 매우 효과적인 것으로 입증되었으며 앞으로도 그 사용은 계속 증가할 것으로 보이며, 생물학적 제제 분야의 지속적인 연구와 개발은 향후 의학적 질환의 치료를 지속적으로 개선하는 데 필수적입니다.

20세기 약물 사용의 역사적 사례

20세기에는 의학과 약리학이 크게 발전했습니다. 1900년대 초, 아스피린이 널리 보급되면서 진통제와 해열제로 사용되었습니다. 가장 중요한 혁신 중 하나인 인슐린이 1921년 치명적인 질병으로 여겨지던 당뇨병 치료에 혁명을 일으켰습니다. 그리고 최초의 항생제인 페니실린은 1928년 알렉산더 플레밍에 의해 발견되었으며, 이후 박테리아 감염 치료에 큰 영향을 미쳤습니다. 1930년대에는 알레르기 증상을 완화하는 데 도움이 되는 최초의 항히스타민제가 개발되었습니다.

1940년대에 코르티손이 합성되어 강력한 항염증제가 되어 류마티스 관절염 치료에 중요한 역할을 했습니다. 제2차 세계대전 중에는 설파제 사용이 널리 보급되어 박테리아 감염을 효과적으로 치료함으로써 수많은 병사들의 생명을 구했습니다. 1950년대에는 최초의 항정신병 약물인 클로르프로마진이 개발되어 조현병과 같은 심각한 정신 질환의 치료에 변화를 가져왔습니다.

1960년대에는 최초의 경구 피임약이 개발되어 여성이 생식 건강을 더 잘 통제할 수 있게 되었습니다. 같은 해 벤조디아제핀의 개발로 불안 장애 치료에 혁명을 일으켰습니다. 1970년대에는 고혈압 및 기타 심혈관 질환의 필수 치료제가 된 베타 차단제가 개발되었습니다. 또한 화학 요법제와 호르몬 요법을 포함한 암 치료를 위한 신약이 개발되었습니다

1980년대에는 인간 면역결핍 바이러스(HIV)의 발견으로 항레트로바이러스 약물이 개발되어 HIV/AIDS가 사형 선고에서 관리 가능한 만성 질환으로 바뀌었습니다. 1990년대에는 우울증과 불안 장애의 1차 치료제가 된 선택적 세로토닌 재흡수 억제제(SSRI)가 개발되었습니다.

20세기는 의학과 약리학이 크게 발전하였고, 전 세계 수백만 명의 환자의 치료결과와 삶의 질을 개선한 의약품 개발의 중대한 발전으로 특징지어집니다.

전쟁이 의약품 개발에 미친 영향

전쟁이 의약품 개발에 미친 영향은 역사적으로 매우 컸습니다. 전쟁 중에는 전투로 인한 부상과 질병을 치료하고 근접한 공간에서 병사들 사이에 빠르게 퍼질 수 있는 질병을 예방하고 치료하기 위한 의약품에 대한 수요가 증가합니다. 특히나 20세기에는 의학 발전에 지대한 영향을 미친 전쟁이 많았습니다. 두 차례의 세계 대전은 의학의 발전과 신약 개발에 큰 영향을 미쳤습니다.

1차 세계대전 당시에는 감염과 통증을 치료할 수 있는 신약이 절실히 필요했습니다. 머스터드 가스와 같은 화학 무기의 사용으로 인해 이러한 무기로 인한 호흡기 및 피부 손상에 대한 새로운 치료법이 필요했습니다. 그 결과 1928년 알렉산더 플레밍이 발견한 페니실린과 같은 새로운 항생제가 개발되었습니다. 페니실린은 제2차 세계대전 중 감염된 상처를 치료하는 데 처음 사용되었으며, 전염병 치료에 획기적인 발전을 가져왔습니다.

2차 세계대전은 의학의 발전과 신약 개발로 이어졌습니다. 가장 중요한 발전 중 하나는 박테리아 감염 치료에 사용되는 설파제와 같은 합성 약물의 사용이었습니다. 이 약물은 1930년대 독일 과학자들에 의해 개발되었으며 전쟁 중 연합군이 사용했습니다. 또 다른 중요한 발전은 부상당한 군인을 치료하기 위해 수혈을 사용하는 것이었습니다. 이로 인해 혈액 은행이 개발되고 다양한 질병을 치료하기 위해 혈장과 같은 혈액 제제가 사용되었습니다. 또한 제2차 세계대전 중 태평양 지역의 군대를 보호하기 위해 항말라리아제가 개발되었습니다.

전쟁이 의약품 개발에 미친 영향은 신약 개발에만 국한되지 않았습니다. 수많은 부상병들을 치료해야 했기 때문에 새로운 수술 기술과 의료 절차가 개발되었습니다. X-레이 및 기타 영상 기술도 전쟁 중에 개발되어 다양한 질병을 진단하고 치료하는 데 사용되었습니다.

그러나 전쟁이 의학 발전에 미친 영향이 항상 긍정적인 것만은 아니었습니다. 제1차 세계대전 중 화학무기의 사용은 새로운 치료법의 개발로 이어졌지만, 화학무기에 노출된 사람들의 건강에도 지속적인 영향을 미쳤습니다. 많은 병사들이 화학무기에 노출되어 장기적인 건강 문제를 겪었으며, 그 영향은 오늘날에도 여전히 남아 있습니다.

결론적으로 20세기에 전쟁이 의약품 개발에 미친 영향은 상당했습니다. 부상당한 군인들을 치료하고 전쟁으로 인한 부상과 질병에 대한 새로운 치료법을 개발해야 하는 긴급한 필요성은 새로운 약물, 수술 기술 및 의료 절차의 개발로 이어졌습니다. 또한 필수 의약품에 대한 접근성 개선의 필요성과 분쟁 중에도 안정적인 공급망 유지의 중요성을 강조하기도 했습니다. 전시 중 의약품 개발은 제약 산업에도 장기적인 영향을 미쳤습니다. 의약품에 대한 수요가 증가하면서 더 크고 전문화된 제약회사가 생겨났고, 의약품 생산 및 테스트를 위한 새로운 기술이 개발되었습니다. 전쟁이 끝난 후에도 이 회사들은 다양한 질환에 대한 의약품을 지속적으로 개발 및 생산하여 의학 분야에서 상당한 발전을 이루었습니다.

07
정신약리학 바르비투르산염
(barbiturate)에서
항우울제까지

향정신성 약물의 역사

향정신성 약물의 역사는 바르비투르산염이 처음 발견된 19세기 후반으로 거슬러 올라갑니다. 바르비투르산염은 처음에는 진정제와 최면제로 사용되었지만 나중에 항경련제 성분이 있는 것으로 밝혀졌습니다. 20세기 초에는 불안과 불면증 치료에 바르비투르산염이 사용되었습니다.

1950년대에는 정신 질환 치료에 혁명을 일으킨 새로운 종류의 약물이 발견되었습니다. 최초의 항정신병 약물은 프랑스 외과의사가 수술 전에 클로르프로마진이라는 약물을 투여한 환자가 매우 침착하고 편안해지는 것을 발견하면서 우연히 발견되었습니다. 이를 계기로 클로르프로마진이 정신 질환 치료에 사용될 수 있다는 사실이 밝혀졌습니다.

클로르프로마진은 최초의 항정신병 약물로 조현병 치료에 사용되었습니다. 그 후 할로페리돌, 플루페나진, 퍼페나진 등 다른 항정신병 약물이 뒤를 이었습니다. 이러한 약물은 뇌의 도파민 수용체를 차단하여 조현병의 증상을 완화하는 방식으로 작용했습니다.

1950년대에는 우울증 치료를 위해 또 다른 종류의 항정신성 약물이 개발되었습니다. 이러한 약물은 삼환계 항우울제라고 불리며 이미프라민과 아미트립틸린과 같은 약물을 포함합니다. 이러한 약물은 뇌의 세로토닌과 노르에피네프린 수치를 증가시키는 방식으로 작용했습니다.

1960년대에는 선택적 세로토닌 재흡수 억제제(SSRI)라는 새로운 계열의 항우울제가 개발되었습니다. 플루옥세틴(프로작), 서트랄린(졸로프트), 파록세틴(팍실)을 포함한 이러한 약물은 뇌의 세로토닌 수치를 증가시키는 방식으로 작용합니다.

항정신병 약과 항우울제 외에도 불안 장애, 양극성 장애 및 기타 정신 질환을 치료하기 위해 다른 종류의 향정신성 약물이 개발되었습니다. 이러한 약물에는 벤조디아제핀, 기분 안정제 및 각성제가 포함됩니다.

벤조디아제핀은 1960년대에 처음 소개되었으며 처음에는 불안과 불면증을 치료하는 데 사용되었습니다. 여기에는 디아제팜, 로라제팜, 알프라졸람과 같은 약물이 포함됩니다. 벤조디아제핀은 뇌에서 신경전달물질인 GABA의 효과를 강화하여 불안을 줄이고 이완을 촉진하는 작용을 합니다.

리튬과 발프로산과 같은 기분 안정제는 1970년대에 양극성 장애를 치료하는 데 처음 사용되었습니다. 이러한 약물은 기분을 안정시키고 조증 및 우울증 에피소드를 예방하는 효과가 있습니다.

향정신성 의약품인 메틸페니데이트 및 암페타민과 같은 각성제는 1960년대에 주의력 결핍 과잉 행동 장애(ADHD)를 치료하는 데 처음 사용되었습니다. 이러한 약물은 뇌의 도파민과 노르에피네프린 수치를 높여 주의력과 집중력을 향상시키는 작용을 합니다.

향정신성 약물의 개발은 정신 질환 치료에 혁명을 일으켰습니다. 이러한 약물이 개발되기 전에는 정신 질환의 주요 치료법은 심리 치료와 제도화였습니다. 오늘날 향정신성 약물과 항정신병 약물은 널리 사용되고 있으며 정신 질환을 앓고 있는 많은 사람들이 정상적인 삶을 살 수 있도록 도와주고 있습니다.

하지만 항정신병 약물에도 문제가 없는 것은 아닙니다. 일부 사람들은 체중 증가, 성기능 장애, 진정 작용과 같은 부작용을 경험합니다. 또한 벤조디아제핀 및 각성제와 같은 일부 종류의 향정신성 약물은 중독 및 남용의 위험이 있습니다.

결론적으로 향정신성 약물의 역사는 19세기 후반으로 거슬러 올라가는 길고 흥미로운 역사입니다. 이러한 약물의 개발은 정신 질환 치료에 혁명을 일으켰으며 많은 사람들이 정상적인 삶을 살 수 있도록 도와주었습니다. 그러나 향정신성 약물의 사용에는 문제가 없는 것은 아니며, 약물의 위험과 이점을 비교하는 것이 중요합니다.

항우울제의 발견과 개발

항우울제의 발견과 개발은 1950년대에 시작되었는데, 당시 연구자들은 원래 다른 목적으로 개발된 특정 약물이 기분을 좋게 하는 효과가 있다는 사실을 발견했습니다. 최초로 발견된 항우울제 중 하나는 이미프라민으로, 원래는 항정신병 약으로 개발되었지만 항우울 효과가 있는 것으로 밝혀졌습니다. 또 다른 초기 항우울제인 이프로니아지드는 처음에는 결핵 치료제로 개발되었지만 나중에 환자의 기분과 에너지 수준을 개선하는 것으로 밝혀졌습니다.

초기의 1세대 항우울제는 삼환계 항우울제(TCA)로 알려진 약물 계열의 첫 번째 약물입니다. TCA는 뇌에서 세로토닌과 노르에피네프린과 같은 특정 신경전달물질의 수치를 증가시키는 방식으로 작용합니다. 그러나 구강 건조, 변비, 졸음과 같은 심각한 부작용이 있는 경우가 많습니다.

1980년대에는 2세대 항우울제인 선택적 세로토닌 재흡수 억제제(SSRI)라는 새로운 계열의 약이 개발되었습니다. SSRI는 뇌에서 세로토닌의 재흡수를 차단하여 세로토닌 수치를 높이고 기분을 개선하는 방식으로 작용합니다. 가장 잘 알려진 SSRI에는 플루옥세틴, 서트랄린, 파록세틴이 있습니다. 초기 항우울제에 비해 SSRI의 장점 중 하나는 부작용이 적고 일반적으로 환자가 더 잘 견딜 수 있다는 것입니다. 하지만 메스꺼움, 현기증, 성기능 장애와 같은 부작용이 발생할 수 있습니다.

세로토닌 및 노르에피네프린 재흡수 억제제(SNRI)와 비정형 항우울제와 같은 다른 유형의 항우울제도 수년에 걸쳐 개발되었습니다. SNRI는 TCA와 마찬가지로 뇌의 세로토닌과 노르에피네프린 수치를 증가시키는 방식으로 작용합니다. 비정형 항우울제는 도파민과 히스타민과 같은 다양한 신경전달물질을 표적으로 삼아 작용합니다.

최근에는 케타민 및 기타 글루타메이트 수용체 조절제와 같은 새로운 종류의 항우울제에 대한 연구가 진행되어 기존 항우울제와는 다른 방식으로 작용합니다. 이러한 약물은 효과가 나타나기까지 몇 주가 걸리는 기존 항우울제보다 빠르게 작용할 수 있으며, 다른 약물에 반응하지 않는 환자에게 효과적일 수 있습니다.

항우울제의 개발로 우울증으로 고생하는 사람들이 이용할 수 있는 치료 옵션이 크게 개선되었습니다. 그러나 항우울제는 만능 해결책이 아니며 개인마다 효과가 다를 수 있고 약물치료만이 우울증 치료의 유일한 방법은 아니라는 점에 유의해야 합니다. 개인이 의료진과 협력하여 각자의 필요에 맞는 적절한 약물과 용량을 찾는 것이 중요하고, 약물치료와 심리치료를 병행하여 효과를 보는 경우가 많다는 점에 유의해야 합니다.

바르비투르산염과 벤조디아제핀의 흥망성쇠

바르비투르산염과 벤조디아제핀은 진정제, 최면제, 항불안제 및 항경련제로 오랫동안 사용되어 온 두 가지 종류의 약물입니다. 바르비투르산염은 1900년대 초에 처음 도입되어 1960년대까지 진정제 및 최면제로 널리 사용되다가 더 안전하고 효과적인 약물의 개발로 인해 사용이 감소했습니다. 벤조디아제핀은 1960년대에 도입되어 빠르게 가장 일반적으로 처방되는 향정신성 약물로 자리 잡았으며, 대부분 바르비투르산염을 대체했습니다.

바르비투르산염은 중추 신경계를 억제하는 작용을 하며 사용량과 기간에 따라 진정, 최면, 마취, 심지어 고용량 복용 시 혼수 상태나 사망에 이르는 등 다양한 효과를 유발할 수 있습니다. 또한 중독성이 있고 남용 가능성이 높기 때문에 안전성에 대한 우려가 제기되어 더 안전한 대안이 개발되고 있습니다.

벤조디아제핀은 불안을 줄이고 수면을 유도하며 근육을 이완시키는 뇌의 신경전달물질인 감마 GABA의 효과를 강화하는 방식으로 작용합니다. 일반적으로 바르비투르산염보다 안전하고 남용 가능성이 낮은 것으로 간주되지만, 여전히 중독성이 있으며 졸음, 현기증, 협응력 장애와 같은 부작용을 일으킬 수 있습니다.

바르비투르산염과 벤조디아제핀은 20세기 중반에 다양한 질환, 특히 불안과 불면증에 널리 처방되었습니다. 그러나 이러한 약물의 광범위한 사용은 광범위한 남용과 중독으로 이어졌고, 많은 사람들이 이러한 약물에 의존하게 되었습니다. 과다 복용의 심각한 위험과 심각한 부작용의 가능성으로 인해 20세기 후반에 이러한 약물에 대한 규제와 제한이 강화되었습니다.

1960년대와 1970년대에는 바르비투레이트 및 벤조디아제핀 사용과 관련된 위험에 대한 인식이 높아졌습니다. 이 약물은 특히 고용량으로 복용하거나 알코올을 포함한 다른 약물과 함께 복용할 경우 남용 가능성이 높은 것으로 밝혀졌습니다. 또한 이러한 약물의 장기 사용은 내성, 의존성 및 금단 증상과 관련이 있는 것으로 밝혀졌습니다.

이러한 우려의 결과로 1980년대와 1990년대에 졸피뎀과 잘레플론과 같은 비벤조디아제핀계 최면제나 선택적 세로토닌 재흡수 억제제(SSRI)과 같은 남용 및 의존 위험이 낮은 새로운 약물이 개발되었습니다. 이러한 새로운 약물은 일반적으로 더 안전하고 의존으로 이어질 가능성이 낮지만, 특히나 최면제는 여전히 사용과 관련된 부작용과 위험이 있습니다.

오늘날 바르비투르산염은 마취 유도 또는 발작 장애 치료와 같은 몇 가지 특정 경우를 제외하고는 거의 처방되지 않습니다. 벤조디아제핀은 불안이나 불면증의 단기 치료와 같은 일부 경우에 여전히 사용되지만 남용 및 의존 가능성으로 인해 사용을 면밀히 모니터링하고 제한하고 있습니다.

정신 질환 치료에서 약물의 역할

정신 질환 치료를 위한 약물 사용은 최초의 항정신병 약물인 클로르프로마진이 개발된 1950년대로 거슬러 올라가는 오랜 역사를 가지고 있습니다. 이는 정신 질환, 특히 조현병 치료에 있어 획기적인 발전이었습니다. 그 이전에는 조현병 환자에게 전기 경련 요법이나 뇌엽 절제술과 같은 비인간적인 치료를 하는 경우가 많았습니다.

그 이후로 항우울제, 기분 안정제, 항불안제, 각성제 등 정신 질환을 치료하기 위한 다양한 종류의 약물이 개발되었습니다. 이러한 약물은 세로토닌, 도파민, 노르에피네프린과 같은 뇌의 다양한 신경전달물질에 영향을 미쳐 작용하며, 정신 질환을 앓고 있는 개인에게는 종종 불균형한 상태가 됩니다.

정신 질환 치료에 약물을 사용하는 것은 이러한 질환을 앓고 있는 개인의 삶에 큰 영향을 미쳤습니다. 약물은 환각, 망상, 기분 변화와 같은 증상을 완화하여 개인이 보다 안정적이고 만족스러운 삶을 살 수 있도록 도와줍니다. 또한 재발을 방지하고 입원을 줄일 수 있습니다.

하지만 정신 건강 치료에 약물을 사용하는 것에 대해 논란이 없는 것은 아닙니다. 일부 개인은 체중 증가, 성기능 장애, 감정 둔화 등 약물로 인한 원치 않는 부작용을 경험할 수 있습니다. 또한, 치료나 생활 습관 변화와 같은 다른 형태의 치료와 약물의 적절한 사용에 대한 논쟁이 계속되고 있습니다.

이러한 우려에도 불구하고 약물 사용은 여전히 많은 정신질환자의 치료 계획에서 중요한 부분으로 남아 있습니다. 정신 질환을 앓고 있는 사람들의 삶을 개선하기 위해서는 새로운 약물에 대한 지속적인 연구와 개발은 물론, 약물 사용을 최적화하고 부작용을 최소화하기 위한 노력이 필요합니다.

약물은 정신 질환 치료에 중요한 역할을 해왔습니다. 정신 치료는 정신 건강 장애 치료의 중요한 측면이지만, 환자에게 최상의 결과를 제공하기 위해 약물은 치료와 함께 사용되는 경우가 많습니다. 항우울제, 항정신병약, 항불안제, 기분 안정제, 각성제 등 다양한 유형의 약물이 다양한 정신 건강 상태를 치료하는 데 사용됩니다.

항우울제는 일반적으로 우울증, 불안 장애, 강박 장애 치료를 위해 처방됩니다. 이러한 약물은 뇌에서 세로토닌과 같은 신경전달물질을 조절하는 방식으로 작용합니다. 반면 항정신병 약은 주로 조현병이나 양극성장애와 같은 정신병적 장애를 치료하는 데 사용됩니다. 항정신병 약물은 뇌의 특정 신경전달물질을 차단하여 망상이나 환각과 같은 정신병 증상을 완화하는 역할을 합니다.

벤조디아제핀과 같은 항불안제는 뇌에 진정 효과를 주는 GABA라는 신경전달물질의 활동을 증가시켜 불안 장애를 치료하는 데 일반적으로 사용됩니다. 기분 안정제는 양극성장애 치료에 사용되며 뇌의 특정 신경전달물질의 균형을 조절하여 기분을 안정시키고 조증이나 우울증의 에피소드를 예방하는 데 도움이 될 수 있습니다. 메틸페니데이트 및 암페타민과 같은 각성제는 주로 주의력 결핍/과잉 행동 장애(ADHD) 치료에 사용되며, 뇌의 신경전달물질 수치를 높여 집중력과 집중력을 향상시키는 데 효과가 있습니다.

약물은 정신 건강 장애를 치료하는 데 매우 효과적일 수 있지만, 잠재적인 부작용과 위험도 동반합니다. 약물이 안전하고 효과적으로 사용되고 있는지 확인하기 위해 자격을 갖춘 의료 전문가가 약물을 처방하고 모니터링하는 것이 필수적입니다. 또한 약물은 정신 건강 장애에 대한 종합적인 치료 계획의 한 측면일 뿐이며 치료, 생활 습관 변화, 사회적 지원도 회복의 중요한 요소라는 점을 인식하는 것이 중요합니다.

정신약리학이 실제로 사용된 역사적 사례

약물이 뇌와 행동에 미치는 영향을 연구하는 정신약리학은 역사적으로 정신 질환 치료에 큰 영향을 미쳤습니다. 다음은 정신약리학이 실제로 적용된 역사적 사례입니다:

-양극성 장애에 대한 리튬: 1940년대에 호주의 정신과 의사 존 케이드(John Cade)는 양극성 장애 치료에 혁명을 일으킬 획기적인 발견을 했습니다. 조증의 원인을 연구하던 케이드 박사는 조증 환자의 소변에서 고농도로 발견되는 요산과 관련이 있을 것이라는 가설을 세웠습니다. 가설을 검증하기 위해 그는 신체의 요산 대사에 영향을 미치는 것으로 알려진 자연 발생 원소인 리튬으로 실험을

시작했습니다.

케이드 박사는 먼저 기니피그를 대상으로 리튬을 실험한 결과, 리튬이 동물에게 진정 효과가 있는 것을 관찰했습니다. 그런 다음 그는 양극성 장애를 가진 인간 환자에게 약물을 시험하기로 결정했습니다. 첫 번째 실험에서 그는 조증 증상으로 입원한 10명의 조증 환자에게 리튬을 투여했습니다. 결과는 놀라웠습니다. 며칠 만에 환자들의 기분과 행동이 크게 개선되었습니다. 환자들은 흥분과 짜증이 줄어들고 수면 패턴이 안정되었습니다.

이러한 결과에 고무된 케이드 박사는 리튬의 양극성 장애 치료 효과에 대한 추가 연구를 진행했습니다. 그는 리튬이 조증 에피소드를 예방하는 데 특히 효과적일 뿐만 아니라 우울 증상을 완화하는 데도 도움이 될 수 있다는 사실을 발견했습니다. 리튬은 양극성 장애 치료를 위해 FDA에서 승인한 최초의 약물이 되었으며, 정확한 작용 메커니즘은 아직 완전히 밝혀지지 않았지만 현재까지도 양극성 장애 치료의 초석으로 사용되고 있습니다. 리튬은 도파민, 세로토닌, 노르에피네프린 등 뇌의 특정 신경전달물질 수치를 조절하는 방식으로 작용하는 것으로 알려져 있습니다. 또한 기분 조절에 관여하는 특정 효소와 단백질의 활성에도 영향을 미칠 수 있습니다.

리튬의 사용은 양극성 장애 환자의 삶에 큰 영향을 미쳐 증상을 관리하고 보다 안정적이고 만족스러운 삶을 영위할 수 있게 해줍니다. 그러나 리튬에도 단점이 없는 것은 아닙니다. 리튬은 신장

손상, 갑상선 문제, 떨림 등 심각한 부작용을 일으킬 수 있습니다. 환자가 정확한 용량을 복용하고 있는지 확인하고 잠재적인 부작용을 모니터링하려면 정기적으로 혈중 농도를 모니터링해야 합니다.

케이드가 리튬의 기분 안정 효과를 발견한 것은 정신약리학 분야에서 획기적인 업적이었습니다. 정신 질환을 치료하는 약물의 힘을 입증하고 정신 장애의 생화학적 기초에 대한 새로운 연구 시대를 열었습니다. 오늘날 리튬은 양극성 장애 및 기타 정신 건강 상태를 치료하는 데 사용되는 많은 약물 중 하나에 불과하지만, 존 케이드의 발견은 정신 의학의 역사에서 중요한 순간으로 남아 있습니다. 이는 약물 개발 분야에서 지속적인 연구와 혁신의 중요성과 예상치 못한 발견이 정신 질환 치료에 지대한 영향을 미칠 수 있는 잠재력을 강조합니다.

-조현병에 대한 클로르프로마진: 1950년대에 프랑스의 정신과 의사 장 딜레이와 그의 동료 피에르 데니커는 항정신병 약물인 클로르프로마진이 정신분열증 증상을 완화할 수 있다는 사실을 발견했습니다. 이 약물은 환각, 망상, 동요를 줄이는 데 효과적이었습니다.

1950년대 프랑스의 정신과 의사 장 딜레이와 피에르 데니커는 환각, 망상, 사고 장애 등의 증상을 일으키는 심각한 정신 질환인 조현병의 치료법을 찾고 있었습니다. 이들은 원래 항히스타민제로 개발된 약물인 클로르프로마진이 조현병 환자에게 진정 효과가 있다는 사실을 발견했습니다.

딜레이와 데니커는 심각한 정신분열증 증상으로 입원한 환자 그룹을 대상으로 클로르프로마진을 시험했습니다. 이 약물은 환각, 망상 및 동요를 감소시켜 환자에게 극적인 효과를 보였습니다. 다른 치료법에 반응하지 않거나 긴장 증세를 보이던 환자들은 주변 세상과 소통하기 시작했습니다. 그 이전에는 조현병 치료가 시설 수용과 전기 경련 치료로 제한되어 있었기 때문에, 환자들이 정신병원 밖에서 정상적인 생활로 복귀할 수 있게 해준 클로르프로마진은 정신질환 치료의 획기적인 발전으로 여겨졌습니다. 딜레이와 데니커가 클로르프로마진을 발견한 것은 조현병 치료의 전환점이 되었습니다.

클로르프로마진은 현재 1세대 항정신병 약물로 분류되며 오늘날에도 조현병 및 기타 정신 질환의 증상을 치료하는 데 사용되고 있습니다. 클로르프로마진의 발견은 다른 항정신병 약물의 개발로 이어져 심각한 정신 질환을 앓고 있는 사람들의 삶을 크게 개선했습니다. 클로르프로마진의 발견과 정신분열증 치료에 미친 영향은 정신약물학 역사상 가장 중요한 돌파구 중 하나로 꼽힙니다.

-우울증에 대한 이미프라민: 1950년대에 스위스의 정신과 의사 롤랜드 쿤은 삼환계 항우울제인 이미프라민의 항우울 효과를 발견했습니다. 쿤의 연구는 이미프라민이 진정 효과가 있어 불안 장애를 가진 환자를 치료하는 데 사용할 수 있다는 관찰에 기초했습니다. 그러나 임상 시험 중에 쿤은 이미프라민이 우울증

환자에게도 긍정적인 영향을 미친다는 사실을 발견했습니다.

쿤의 발견은 삼환계 항우울제라는 새로운 계열의 약물 개발로 이어졌고, 이는 곧 우울증 치료의 첫 번째 약물이 되었습니다. 이미프라민 및 기타 삼환계 항우울제는 신경전달물질인 세로토닌과 노르에피네프린의 재흡수를 억제하여 뇌의 수치를 높이고 궁극적으로 기분을 개선하는 방식으로 작용합니다.

이미프라민은 강박 장애 및 공황 장애와 같은 다른 정신과 질환 치료에도 효과적인 것으로 밝혀졌습니다. 부작용이 적은 새로운 항우울제가 개발되었음에도 불구하고 이미프라민과 같은 삼환계 항우울제는 오늘날에도 일부 우울증 치료에 여전히 사용되고 있습니다.

이미프라민은 우울증 치료의 획기적인 약물이었으며 아미트립틸린과 노르트립틸린과 같은 다른 삼환계 항우울제 개발의 길을 열었습니다. 이러한 약물은 1960년대와 1970년대에 널리 사용되어 우울증 환자의 삶을 크게 개선하는 데 도움이 되었습니다. 그러나 삼환계 항우울제는 졸음, 구강 건조, 변비 등 심각한 부작용이 있어 일부 환자에게는 견디기 어려운 약물이었습니다. 이로 인해 오늘날 널리 사용되는 선택적 세로토닌 재흡수 억제제(SSRI)와 세로토닌 노르에피네프린 재흡수 억제제(SNRI)와 같이 부작용이 적은 새로운 계열의 항우울제가 개발되기 시작했습니다. 이러한 발전에도 불구하고 삼환계 항우울제는 일부 환자, 특히 다른 약물에 반응하지 않는 환자에게 여전히 중요한 치료 옵션으로 남아 있습니다.

-우울증에 대한 플루옥세틴: 플루옥세틴은 우울증, 불안 장애 및 기타 정신 건강 질환에 널리 알려져 있고 일반적으로 처방되는 약물입니다. 1980년대에 미국 제약회사 Eli Lilly는 뇌에서 신경전달물질 세로토닌의 재흡수를 선택적으로 억제하여 시냅스 틈새의 세로토닌 수치를 증가시키고 기분을 개선하는 항우울제의 일종인 선택적 세로토닌 재흡수 억제제(SSRI)로 플루옥세틴을 개발했습니다. 최초의 SSRI 였습니다.

플루옥세틴은 이전의 항우울제보다 부작용이 적고 사용하기 쉬워 우울증 치료에 획기적인 약물이었습니다. 삼환계 항우울제와 달리 플루옥세틴은 항콜린성, 진정제, 심혈관계 부작용이 적어 부작용 프로파일이 더 양호했습니다. 또한 이전의 항우울제와 달리 플루옥세틴은 체중 증가, 구강 건조, 시력 저하를 일으키지 않았습니다.

플루옥세틴은 출시 이후 전 세계에서 가장 일반적으로 처방되는 항우울제 중 하나가 되었으며, 수백만 명의 사람들이 우울증, 불안 장애 및 기타 정신 건강 질환을 위해 이 약을 복용하고 있습니다. 플루옥세틴은 강박 장애, 신경성 폭식증, 월경 전 불쾌 장애와 같은 질환을 치료하기 위해 오프라벨로 사용되기도 합니다.

플루옥세틴은 우울증 및 기타 정신 건강 질환 치료에 널리 사용되어 왔지만, 부작용이 없는 것은 아닙니다. 플루옥세틴의 일반적인 부작용으로는 메스꺼움, 설사, 두통, 불면증, 성기능 장애 등이 있습니다. 드물게 플루옥세틴은 뇌의 세로토닌 수치가 높아져 생명을 위협할 수 있는 세로토닌 증후군을 유발할 수 있습니다. 모든 약물과 마찬가지로 플루옥세틴을 복용하기 전에 의료진과 플루옥세틴의 잠재적 위험과 이점에 대해 상의하는 것이 중요합니다.

플루옥세틴의 성공은 우울증 및 기타 기분 장애 치료제로 승인된 서트랄린과 파록세틴과 같은 다른 SSRI의 개발로 이어졌습니다. 이러한 약물의 출시로 우울증 및 기타 정신 질환의 치료가 크게 개선되어 많은 환자에게 더 나은 결과를 가져다주었습니다. 그러나 SSRI의 사용은 그 효과, 잠재적 부작용 및 과다 처방에 대한 우려와 함께 논란과 논쟁의 대상이 되기도 했습니다. 그럼에도 불구하고 플루옥세틴 및 기타 SSRI는 정신약물학 분야에 지대한 영향을 미쳤으며 오늘날에도 여전히 널리 처방되고 있습니다.

-치료 저항성 조현병에 대한 클로자핀: 클로자핀은 다른 약물에 내성이 있는 조현병을 치료하는 데 사용되는 비정형 항정신병 약물입니다. 클로자핀의 발견은 핀란드의 정신과 의사 유코 뢴크비스트가 1970년대에 클로자핀의 잠재력을 처음 알아차린 덕분입니다. 당시에는 기존의 항정신병 약물이 모든 환자에게 효과적이지 않고 근육 경직이나 떨림과 같은 쇠약화 부작용을 일으키는 경우가 많아 치료 저항성 조현병이 큰 문제였습니다.

클로자핀은 뇌의 도파민 수용체를 차단하는 방식으로 작용하지만,

다른 항정신병 약물과 달리 추체외로 부작용을 일으키지 않습니다. 클로자핀은 도파민 수용체를 차단하는 것 외에도 세로토닌과 같은 다른 신경전달물질에도 영향을 미쳐 조현병 치료 효과에 기여할 수 있습니다. 클로자핀은 1980년대 후반에 유럽에서, 1990년에 미국에서 사용 승인을 받았습니다. 처음에는 치료 저항성 조현병 환자의 최후의 수단으로 사용되었지만, 그 효과와 독특한 부작용 프로필로 인해 다양한 정신 질환을 치료하는 데 널리 선택되었습니다.

이러한 효과에도 불구하고 클로자핀은 백혈구 수치를 낮춰 생명을 위협할 수 있는 무과립구증 위험 때문에 널리 처방되지 않습니다. 따라서 클로자핀을 복용하는 환자는 백혈구 수치가 안전한 범위 내에 유지되도록 정기적으로 혈액 검사를 받아야 합니다.

클로자핀의 발견과 개발은 특히 다른 약물에 내성이 있는 환자들에게 정신분열증 치료에 중요한 돌파구를 마련했습니다. 클로자핀의 성공은 현재 다양한 정신 질환 치료에 일반적으로 사용되는 다른 비정형 항정신병 약물의 개발의 길을 열었습니다.

이 예시들은 정신약리학이 역사적으로 정신 질환 치료를 어떻게 변화시켰는지 보여주는 몇 가지 예에 불과합니다. 새로운 약물의 발견과 개발은 정신 건강 분야에서 계속해서 중요한 연구 분야입니다.

08
규제 물질: 오피오이드와
약물 규제의 역사

오피오이드의 역사와 그 위험성

오피오이드는 신경계에 작용하여 통증을 완화하는 약물의 일종입니다. 아편은 기원전 3400년 메소포타미아에서 아편이 의학적으로 사용되기 시작한 고대로 거슬러 올라갈 수 있습니다. 아편은 17세기 유럽에서 인기를 끌며 통증 완화에 널리 사용되었지만, 그 당시 이미 아편의 중독성은 잘 알려져 있었습니다.

19세기에는 피하주사 바늘이 개발되면서 혈류에 직접 주사하여 더 빠르고 강력한 효과를 볼 수 있게 되어 통증 관리에 오피오이드 사용이 증가했습니다. 아편에서 추출한 강력한 오피오이드인 모르핀은 미국 남북전쟁 당시 병사들의 부상과 통증을 치료하기 위해 널리 사용되었습니다. 하지만 이로 인해 많은 병사들이 마약에 중독되었습니다.

20세기 초, 오피오이드의 중독성에 대한 우려로 아스피린과 아세트아미노펜과 같은 대체 진통제가 개발되었습니다. 그러나 오피오이드는 심한 통증과 암 치료에 계속 사용되었습니다.

1990년대에는 만성 통증에 대한 오피오이드 처방이 크게 증가하면서 오피오이드 중독과 과다 복용으로 인한 사망이 증가했습니다. 제약 회사들은 옥시코돈과 같은 오피오이드를 안전하고 중독성이 없는 것으로 마케팅했지만, 이는 나중에 거짓으로 판명되었습니다. 처방 오피오이드에 중독된 많은 사람들이 처방약이 떨어지거나 가격이 너무 비싸지자 헤로인과 같은 불법 오피오이드로 눈을 돌렸습니다.

오늘날 오피오이드는 매년 수천 명의 사람들이 오피오이드 과다 복용으로 사망하는 등 공중 보건에 큰 위기를 초래하고 있습니다. 중독 치료에 대한 접근성을 높이고 오피오이드에 대한 보다 안전한 처방 관행을 장려함으로써 이 위기를 해결하기 위한 노력이 진행되고 있습니다. 또한 오피오이드 사용을 줄이기 위한 대체 통증 관리 전략을 개발하기 위한 연구도 계속되고 있습니다.

최근 몇 년 동안 오피오이드와 관련된 위험성, 특히 중독 및 과다 복용 가능성에 대한 인식이 높아지고 있습니다. 오피오이드 유행에 대응하여 비오피오이드 약물, 물리 치료, 대체 의학 접근법 등 대체 통증 관리 전략을 개발하기 위한 노력이 계속되고 있습니다.

또한 처방 관행을 개선하고, 중독 치료에 대한 접근성을 높이며, 날록손과 같은 과다복용 완화 약물에 대한 접근성을 제공하는 등 피해 감소 노력을 확대하려는 시도도 있었습니다. 또한 오피오이드의 위험성과 책임감 있는 처방 및 사용의 중요성에 대한 환자와 의료진의 교육과 인식을 높이기 위한 노력도 계속되고 있습니다.

이러한 노력에도 불구하고 오피오이드의 오용과 남용은 여전히 심각한 공중 보건 문제로 남아 있으며, 이 지속적인 위기를 해결하기 위해 더 많은 연구와 조치가 필요합니다.

약물 규제 및 통제의 출현

마약 규제 및 관리의 시작은 오피오이드나 코카인과 같은 특정 약물의 위험성이 점점 더 명백해진 20세기 초로 거슬러 올라갈 수 있습니다. 미국에서는 1906년 제정된 순수 식품 및 의약품법이 약물을 규제하고 정확한 라벨링을 요구하는 최초의 연방법이었습니다. 그러나 이 법은 약물의 안전성과 효능에 대한 기준을 설정하지 않았습니다.

1930년대에 엘릭서 설파닐아미드(Elixir Sulfanilamide)라는 약품에 첨가된 독성 용매로 인해 100명 이상이 사망한 사건이 발생하면서 의약품에 대한 더 엄격한 규제의 필요성이 대두되었습니다. 이에 따라 미국 의회는 1938년 신약이 시판되기 전에 안전성이 입증되어야 한다는 내용의 연방 식품, 의약품 및 화장품법을 통과시켰습니다. 이 법은 또한 의약품 규제 및 승인을 감독하기 위해 식품의약국(FDA)을 설립했습니다.

1960년대 유럽에서 발생한 탈리도마이드 사태로 인해 약물 규제에 대한 개혁이 이루어졌습니다. 진정제이자 구토 방지제인 탈리도마이드는 임산부에게 안전한 것으로 판매되었지만 수천 명의 아이들에게 심각한 선천적 결함을 일으켰습니다. 이 비극을 계기로 의약품의 안전성과 효능을 테스트하기 위한 무작위 대조 임상시험을 의무화하는 등 신약 승인 기준이 확립되었습니다.

또한 FDA는 엄격한 테스트 및 검토 과정을 포함하는 의약품 승인 시스템을 개발했습니다. 약품이 사용 승인을 받으려면 동물을 대상으로 한 전임상 시험과 사람을 대상으로 한 3단계의 임상 시험을 거쳐야 합니다. 이러한 임상시험을 통해 약물의 안전성과 효능을 평가하고, 그 데이터를 FDA에 제출하여 검토를 받습니다.

새로운 약물과 기술이 등장함에 따라 약물 규제 및 관리는 계속 진화하고 있습니다. 최근 몇 년 동안 FDA는 생명을 위협하는 질병에 대한 약물 승인 속도를 높이기 위한 조치를 취했으며, 의료 서비스 제공자를 위한 새로운 라벨링 및 교육을 의무화하는 등 오피오이드 전염병에 대처하기 위한 조치도 시행하고 있습니다. 전반적으로 의약품 규제와 관리는 공중 보건을 보호하고 의약품의 안전성과 효과를 보장하는 데 중요한 역할을 합니다.

FDA의 설립과 식품, 의약품 및 화장품법 통과 외에도 몇 가지 중요한 발전이 약물 규제 및 관리의 출현에 기여했습니다. 그 중 하나는 1970년 규제물질법(CSA)이 제정되어 남용 및 중독 가능성에 따라 약물을 분류하고 규제하는 시스템을 구축한 것입니다.

CSA에 따라 약물은 5개의 스케줄로 나뉘며, 헤로인 및 LSD와 같은 스케줄 I 약물은 남용 및 중독 가능성이 가장 높고 의학적 용도가 허용되지 않는 것으로 간주되며, 코데인을 함유한 일부 기침 시럽과 같은 스케줄 V 약물은 남용 및 중독 가능성이 가장 낮고 의학적 용도가 허용되는 것으로 간주됩니다. 스케줄 II-V에 속하는 약물은 처방, 조제 및 소지에 대한 제한 등 다양한 규제가 적용됩니다.

약물 규제 및 관리의 또 다른 중요한 발전은 규제 대상 약물의 처방 및 조제를 추적하는 국가 운영 데이터베이스인 처방약 모니터링 프로그램(PDMP)의 등장입니다. PDMP를 통해 의료 서비스 제공자와 법 집행 기관은 처방 패턴을 모니터링하고 규제 약물의 과다 처방 또는 전용 가능성을 식별할 수 있습니다.

약물 규제와 관리는 약물의 안전성과 효능을 보장하는 동시에 약물 오용, 남용, 중독과 관련된 위험에 대처하는 데 중요한 역할을 해왔습니다. 이 분야에서 아직 해야 할 일이 많지만, 약물 규제 및 통제를 개선하기 위한 지속적인 노력은 공중 보건과 안전을 보호하는 데 필수적입니다.

마약과의 전쟁

마약과의 전쟁은 마약 사용 및 마약 관련 범죄에 맞서기 위해 미국 정부가 취한 정책과 조치를 설명하는 데 사용되는 문구입니다. 마약과의 전쟁의 기원은 미국 정부가 아편과 코카인과 같은 특정 마약을 규제하고 범죄화하기 시작한 20세기 초로 거슬러 올라갑니다. 그러나 마약과의 전쟁이 탄력을 받고 주요 정책 이니셔티브가 된 것은 1970년대와 1980년대였습니다.

1971년 리처드 닉슨 대통령은 "마약과의 전쟁"을 선포하고 마약법을 조정하고 집행하기 위해 마약단속국(DEA)을 창설했습니다. 마약과의 전쟁은 법 집행, 범죄화, 투옥을 통해 마약 공급과 수요를 줄이는 데 중점을 두었습니다.

1980년대에는 마약 밀매자를 표적으로 삼고 마약 범죄에 대한 처벌을 강화하는 데 중점을 두면서 마약과의 전쟁이 강화되었습니다. 이로 인해 특히 유색인종 커뮤니티에서 마약 범죄로 수감된 사람들의 수가 급격히 증가했습니다. 최저 형량 의무화, 삼진 아웃제, 크랙 코카인과 코카인의 형량 격차 등이 수감률 증가에 영향을 미쳤습니다.

마약과의 전쟁은 국제적으로도 큰 영향을 미쳤는데, 미국은 전 세계적인 영향력을 이용해 다른 국가들이 유사한 마약 정책을 채택하도록 압력을 가했습니다. 그 결과 많은 국가에서 마약 작물의 단속과 근절에 중점을 둔 마약 통제 노력이 군사화되었습니다.

그러나 마약과의 전쟁에 대한 비판자들은 이 전쟁이 여러 가지 부정적인 결과를 초래했다고 주장합니다. 주요 비판 중 하나는 유색인종 커뮤니티를 불균형적으로 표적으로 삼아 피해를 입혀 마약 단속과 수감률에 인종적 불균형을 초래했다는 것입니다. 또한 범죄화와 처벌에 초점을 맞춘 정책은 마약 사용을 줄이는 데 거의 영향을 미치지 못했으며 처방 진통제의 암시장을 부추겨 오피오이드 대유행에 기여하기도 했습니다.

최근에는 피해 감소, 치료 및 예방에 중점을 둔 마약 정책에 대한 다른 접근 방식이 필요하다는 인식이 확산되고 있습니다. 이로 인해 일부 국가에서는 특정 약물의 합법화 또는 비범죄화가 이루어졌으며, 주사바늘 교환 및 오피오이드 중독에 대한 약물 보조 치료와 같은 프로그램이 개발되고 있습니다.

지속적인 논쟁과 비판에도 불구하고 마약과의 전쟁은 여전히 전 세계 많은 국가에서 마약 정책과 법 집행을 형성하는 중요한 힘으로 작용하고 있습니다.

약물 남용 및 중독의 역사적 사례

역사적으로 약물 남용과 중독의 사례는 수없이 많았습니다. 다음은 몇 가지 주목할 만한 사례입니다:

-아편: 아편은 수천 년 동안 의학적 목적으로 사용되어 왔지만, 아편의 오락적 사용도 그에 못지않게 오랫동안 문제가 되어 왔습니다. 1800년대에 아편 중독은 중국에서 큰 사회 문제가 되었고, 영국과의 아편 전쟁으로 이어졌습니다. 영국은 인도에서 재배한 아편을 중국으로 수출하는 수익성 있는 무역을 시작했습니다. 이 무역은 많은 논란을 불러일으켰고, 영국이 승리한 1차

아편전쟁(1839~1842)의 원인 중 하나였습니다. 2차 아편 전쟁(1856-1860)에서도 영국이 승리하여 중국에서는 아편 거래가 합법화되었습니다. 이로 인해 중국에서 아편 중독이 증가하여 수백만 명의 사람들이 아편에 중독되었습니다.

미국에서는 19세기 말과 20세기 초에 아편과 모르핀, 헤로인 등 아편과 그 파생물의 사용이 공중 보건의 주요 위기가 되었습니다. 남북전쟁 당시 아편은 부상당한 병사들의 진통제로 광범위하게 사용되었습니다. 이로 인해 많은 병사들이 아편에 중독되었고, 전쟁이 끝난 후에도 많은 병사들이 아편을 계속 사용했습니다. 1800년대 후반에는 아편 중독이 미국에서 광범위한 문제로 대두되어 의사들이 다양한 질병에 아편을 처방하게 되었습니다.

1800년대 초 아편에서 처음 분리된 모르핀은 빠르게 대중적인 진통제로 자리 잡았습니다. 하지만 중독성이 강해 많은 사람이 중독되었습니다. 1800년대 후반, 헤로인은 모르핀의 중독성이 덜한 대안으로 개발되었습니다. 그러나 헤로인은 모르핀보다 훨씬 더 중독성이 강한 것으로 판명되었고, 곧 주요 공중 보건 문제가 되었습니다. 1900년대 초, 미국은 아편과 그 파생물의 판매 및 유통을 규제하는 법률을 통과시켰습니다. 이러한 법에도 불구하고 오피오이드 남용은 계속해서 큰 문제가 되었으며, 많은 사람들이 처방 진통제에 중독되었다가 더 이상 처방 약을 구할 수 없게 되자 헤로인에 의존하게 되었습니다.

오늘날 옥시코돈과 펜타닐과 같은 처방 오피오이드 남용은 미국에서 계속해서 주요 공중 보건 문제로 대두되고 있으며, 과다 복용으로 인해 매년 수천 명이 사망하고 있습니다. 오피오이드의 유행으로 인해 마약 정책과 중독 치료에 대한 논의가 다시 시작되었으며, 일부에서는 범죄화에서 벗어나 보다 포괄적인 공중 보건 접근 방식으로 전환해야 한다고 주장하고 있습니다.

-바르비투르산염: 바르비투르산염은 20세기 중반에 불안, 불면증, 발작을 치료하기 위해 널리 처방되었습니다. 하지만 곧 중독성이 드러나면서 많은 과다 복용으로 인한 사망자가 발생했습니다.

바르비투르산염은 치료 용량이 치사량에 매우 근접했기 때문에 특히 위험했습니다. 즉, 복용량을 조금만 늘려도 호흡 억제, 혼수, 사망에 이를 수 있었습니다. 또한 바르비투르산염 금단 증상은 생명을 위협할 수 있어 한 번 중독되면 사용을 중단하기 어렵습니다.

1950년대와 60년대에 바르비투르산염 남용은 주요 공중 보건 문제가 되었습니다. 이 약물은 쉽게 구할 수 있고 널리 처방되었기 때문에 많은 사람들이 중독되었습니다. 마릴린 먼로와 주디 갈랜드 같은 유명인이 바르비투르산염 과다 복용으로 사망하면서 이 약물의 위험성에 대한 관심이 높아졌습니다.

바르비투르산염 남용과 중독에 대한 우려가 커지면서 의료계는 불안, 불면증, 발작에 대한 다른 약물로 전환하기 시작했습니다. 중독성이 적고 치료 기간이 더 넓은 벤조디아제핀이 이러한 질환에 대한 선호 치료제로 점차 바르비투르산염을 대체하기 시작했습니다. 그러나 바르비투르산염은 여전히 마취 및 간질 치료와 같은 일부 경우에 사용됩니다.

벤조디아제핀 또한 특히 고용량 또는 장기간 복용할 경우 남용 및 중독과 관련이 있습니다. 최근 몇 년 동안 특히 노년층에서 벤조디아제핀의 광범위한 사용과 오용에 대한 우려가 커지고 있습니다.

약물 남용과 중독의 역사는 처방약에 대한 신중한 모니터링과 규제의 필요성을 강조하며, 처방약 사용과 관련된 위험에 대한 인식이 높아져야 함을 보여줍니다. 약물은 다양한 질환을 치료하는 강력한 도구가 될 수 있지만, 오용과 남용은 개인, 가족, 지역사회에 치명적인 결과를 초래할 수 있습니다.

-벤조디아제핀: 벤조디아제핀은 1960년대에 바르비투르산염에 대한 안전한 대안으로 개발되었습니다. 과다 복용과 중독 위험이 적고 불안과 불면증 치료에 효과적이어서 의사와 환자들 사이에서 빠르게 인기를 얻었습니다. 그러나 벤조디아제핀의 중독성이 곧 드러나면서 벤조디아제핀 남용이 문제가 되었습니다.

벤조디아제핀을 오용하면 신체적, 심리적 의존은 물론 졸음, 혼란, 조정력 장애와 같은 다양한 부작용이 발생할 수 있습니다. 벤조디아제핀은 알코올이나 오피오이드와 같은 다른 물질과 함께 사용하면 더욱 위험할 수 있으며, 잠재적으로 호흡 억제 및 사망에 이를 수 있습니다. 벤조디아제핀을 장기간 사용하면 내성, 의존성, 금단 증상이 나타날 수 있으며, 발작과 섬망 등이 나타날 수 있습니다.

이러한 위험성에도 불구하고 벤조디아제핀은 오늘날에도 여전히 불안, 불면증, 발작과 같은 질환에 널리 처방되고 있으며, 종종 장기 복용을 위해 처방되고 있습니다. 또한 벤조디아제핀의 오남용은 특히 불법적으로 구하거나 다른 약물과 함께 오용하는 사람들 사이에서 계속 문제가 되고 있습니다. 이는 약물 사용의 위험과 이점을 신중하게 비교하고 오용이나 중독의 징후가 있는지 환자를 면밀히 모니터링하는 것이 중요하다는 점을 강조합니다

-오피오이드: 오피오이드는 통증 관리에 사용되는 약물의 일종입니다. 여기에는 옥시코돈, 하이드로코돈, 펜타닐과 같은 처방약과 헤로인 같은 불법 약물이 포함됩니다. 오피오이드는 뇌와 척수의 수용체에 부착하여 통증 감각을 감소시키는 방식으로 작용합니다. 하지만 뇌의 보상 중추를 활성화하여 중독으로 이어질 수 있습니다.
1990년대 후반, 제약 업계는 옥시코돈과 같은 오피오이드 진통제를 만성 통증에 대한 안전하고 효과적인 치료제로 공격적으로 마케팅했습니다. 그러나 이러한 약물은 중독성이 강하고 종종 과다 처방되어 처방이 급증하고 광범위한 중독으로 이어졌습니다. 합법적인 의학적 이유로 오피오이드를 처방받은 환자들은 의존성과 중독에 빠지기 시작했고, 많은 사람들이 비의학적 이유로 이러한 약물을 찾기 시작했습니다.

처방 오피오이드를 구하기 어려워지면서 많은 사람들이 헤로인이나 펜타닐과 같은 불법 오피오이드를 찾게 되었습니다. 헤로인은 중독성이 강한 불법 약물로 다른 물질과 혼합되는 경우가 많기 때문에 약물의 순도와 강도를 알기 어렵습니다. 펜타닐은 모르핀보다 최대 100배 강한 강력한 합성 오피오이드로 특히 위험합니다.

오피오이드 중독은 매년 수만 명이 과다 복용으로 사망하는 주요 공중 보건 위기가 되고 있습니다. 과다 복용으로 인한 사망은 신체의 호흡 기능이 저하되어 뇌와 기타 장기에 산소 부족으로 이어질 때 발생합니다. 오피오이드 중독 치료에는 일반적으로 메타돈이나 부프레노르핀과 같은 약물 보조 치료와 중독의 원인이 되는 근본적인 문제를 해결하기 위한 행동 요법이 병행됩니다. 최근에는 오피오이드 사용의 위험성에 대한 인식이 높아지면서 처방 관행을 개선하고, 중독 치료에 대한 접근성을 높이며, 오피오이드 중독으로 인한 피해를 줄이기 위한 노력이 활발히 이루어지고 있습니다.

-각성제: 메틸페니데이트, 암페타민과 같은 각성제는 ADHD 및 기타 질환에 널리 처방되는 약물입니다. 각성제는 도파민이나 노르에피네프린과 같은 뇌의 특정 신경전달물질 수치를 증가시키는 방식으로 작용합니다. 이러한 신경전달물질은 주의력, 집중력, 기분을 조절하는 데 도움이 됩니다. 그러나 각성제는 행복감과 집중력 및 생산성 향상 효과 때문에 남용되는 경우도 많습니다.

각성제 남용은 신체적, 정신적 건강 문제뿐만 아니라 중독으로 이어질 수 있습니다.

코카인이나 메탐페타민과 같이 중독성이 강하고 위험한 다른 각성제 약물도 있습니다. 코카인은 코로 흡입하거나 흡연하거나 주사하는 강력한 각성제입니다. 코카인은 단 몇 번만 사용해도 중독으로 이어질 수 있는 빠르고 강렬한 쾌감을 선사합니다.

메탐페타민 또는 "메스"는 심장마비, 뇌졸중, 정신병 등 심각한 건강 문제를 일으킬 수 있는 중독성이 강한 또 다른 각성제입니다. 코카인과 메탐페타민 모두 과다 복용 시 치명적일 수 있습니다.

각성제는 처방대로 사용하면 효과적이고 안전할 수 있지만, 남용 및 오용은 심각한 건강 문제와 중독을 유발할 수 있습니다. 각성제는 의료진의 지시에 따라서만 사용해야 하며, 본인 또는 지인이 중독으로 어려움을 겪고 있다면 도움을 요청하는 것이 중요합니다.

각성제는 특히 고용량으로 복용하거나 다른 물질과 함께 복용할 경우 고혈압, 빠른 심박수, 심장마비 등 심각한 심혈관계 문제를 일으킬 수 있습니다. 또한 각성제를 장기간 남용하면 뇌가 손상되어 기억력 및 주의력 문제를 비롯한 인지 기능 결함이 발생할 수 있습니다.

각성제 중독 치료에는 금단 증상을 관리하고 재발을 방지하기 위해 행동 치료와 항우울제 또는 항정신병약물 등의 약물 치료가 병행되는 경우가 많습니다. 각성제는 의료 전문가가 처방한 대로만 사용해야 하며, 심각한 해로 이어질 수 있으므로 다른 사람에게 공유하거나 판매하지 않는 것이 중요합니다.

전반적으로 약물 남용과 중독의 역사는 약물을 처방하고 사용할 때 주의가 필요하다는 점을 강조합니다. 약물은 많은 질환에 효과적인 치료법이 될 수 있지만, 오용하거나 남용할 경우 위험할 수도 있습니다. 약물 사용과 중독 가능성을 면밀히 모니터링하고 중독이 발생하면 도움을 요청하는 것이 중요합니다.

오피오이드 전염병과 그 여파

오피오이드 전염병은 1990년대 후반부터 미국에서 처방 및 불법 오피오이드의 사용과 남용이 급격히 증가한 것을 말합니다. 이 전염병은 엄청난 수의 과다 복용 사망자, 중독률의 급증, 가족, 지역사회 및 의료 시스템에 대한 파괴적인 영향이 특징입니다.

이 유행병의 기원은 1990년대 후반 제약회사의 공격적인 처방 오피오이드 진통제 마케팅으로 거슬러 올라갑니다. 제약 회사들은 중독과 과다 복용의 위험을 경시했고, 의사들은 만성 통증 관리를 위해 오피오이드를 처방하도록 권장했습니다. 이로 인해 오피오이드 처방이 급증하고 그에 따라 중독률도 증가했습니다.

처방 오피오이드를 구하기 어려워지자 많은 사람들이 더 저렴하고 쉽게 구할 수 있는 헤로인이나 펜타닐과 같은 불법 오피오이드를 찾게 되었습니다. 펜타닐은 모르핀보다 50~100배 더 강력한 합성 오피오이드로, 다른 약물과 혼합하여 사용하는 경우가 많아 더욱 위험합니다.

오피오이드 유행의 결과는 치명적이었습니다. 미국 질병통제예방센터(CDC)에 따르면 1999년 이후 미국에서 50만 명 이상의 사람들이 오피오이드 과다 복용으로 사망했습니다. 2019년 한 해에만 오피오이드 과다 복용으로 인한 사망자가 7만 명이 넘었습니다.

이 전염병은 가족과 지역사회에 큰 영향을 미쳤습니다. 아이들은 고아가 되었고, 중독과 과다복용으로 인한 사망으로 가족은 해체되었습니다. 지역사회는 의료 비용 증가, 생산성 저하, 범죄 활동 증가 등 중독으로 인한 경제적, 사회적 비용에 대처하기 위해 고군분투하고 있습니다.

공중 보건 당국과 정책 입안자들은 중독 치료 및 약물 보조 치료에 대한 접근성을 높이고, 처방 관행을 개선하고, 불법 마약 밀매를 단속하는 등 다양한 전략을 시행해 왔습니다. 그러나 진전은 더디게 이루어지고 있으며 전염병은 계속해서 진행중입니다.

오피오이드 전염병의 여파는 앞으로 수년 동안 계속될 것입니다. 가족과 지역사회는 중독과 과다 복용으로 인한 상실감과 트라우마에 계속 시달릴 것이며, 의료 시스템은 향후 유사한 위기를 예방하기 위해 통증 관리 및 중독 치료에 대한 새로운 접근법을 개발해야 할 것입니다.

오피오이드 전염병은 인명 피해 외에도 경제적, 사회적으로도 심각한 영향을 미쳤습니다. 오피오이드 중독과 과다 복용을 치료하는 데 드는 비용으로 인해 의료 시스템과 정부 예산이 압박을 받고 있습니다. 중독으로 어려움을 겪는 많은 사람들은 고용을 유지하거나 가족을 돌보는 데 어려움을 겪고 있으며, 이는 재정적 불안정과 사회적 고립으로 이어집니다. 또한 중독자들이 습관을 유지하기 위해 절도 및 기타 불법 활동에 의존하면서 범죄가 증가하는 데 기여했습니다.

오피오이드 전염병에 대처하기 위한 노력에는 처방 오피오이드 규제 강화, 중독 치료 및 지원 프로그램 확대, 날록손과 같은 과다복용 완화 약물의 가용성 증가 등이 포함됩니다. 그러나 진전은 더디게 이루어지고 있으며 전염병은 지역사회에 계속 영향을 미치고 있습니다. 개인, 가족, 지역사회에 미치는 영향을 포함하여 전염병의 장기적인 영향은 앞으로 몇 년 동안 지속될 것으로 보입니다.

09
대체 약물:
약초 및 비서양 요법

약초의 역사와 역할

식물 의학이라고도 알려진 약초 의학은 식물 기반 물질을 의약 목적으로 사용하는 것입니다. 식물을 치유에 사용하는 관행은 수천 년 전으로 거슬러 올라가며 아유르베다, 중국 전통 의학, 아메리카 원주민 의학 등 전 세계 전통 의학 체계의 일부였습니다.

고대에는 식물의 약효에 의존하여 다양한 질병을 치료하는 데 식물을 사용했습니다. 현대의 많은 의약품은 식물에서 추출한 것이며, 약초의 사용은 많은 문화와 전통에서 여전히 중요한 부분을 차지하고 있습니다.

허브는 차, 팅크, 분말, 캡슐 또는 국소 도포 등 다양한 방법으로 사용할 수 있습니다. 허브는 신체의 자연 치유 과정을 자극하고 면역 체계를 지원하며 신체의 균형을 회복하는 데 효과가 있는 것으로 알려져 있습니다.

허브는 두통이나 감기와 같은 가벼운 질환부터 암이나 심장병과 같은 심각한 질병에 이르기까지 다양한 질환을 치료하는 데 사용되어 왔습니다. 일부 허브는 항염증, 살균 또는 진통 효과가 있는 것으로 알려져 있으며, 다른 허브는 소화 시스템을 지원하거나 에너지 수준을 높이거나 이완을 촉진하는 데 사용됩니다.

약초는 오랜 사용 역사에도 불구하고 부작용이 있을 수 있으며 다른 약물과 상호 작용할 수 있습니다. 특히 기존 질환이 있거나 처방약을 복용 중인 경우, 약초 요법을 사용하기 전에 의료진과 상담하는 것이 중요합니다.

최근 몇 년 동안 기존 의약품의 대안으로 한약과 자연 요법을 사용하는 것에 대한 관심이 높아지고 있습니다. 어떤 사람들은 몸과 마음, 정신의 연결을 강조하는 한약의 전체론적 접근 방식을 선호하기도 합니다.

약초의 사용은 많은 문화권에서 계속해서 중요한 부분을 차지하고 있지만, 모든 약초 요법이 안전하거나 효과적인 것은 아니라는 점을 기억하는 것이 중요합니다. 약초 요법을 사용하기 전에 충분한 조사를 하고 자격을 갖춘 의료 전문가와 상담하는 것이 중요합니다.

전통적인 비서양 약물의 사용

전통 비서양 의학은 서양 의학 이외의 문화권의 치유 전통에 기반한 요법과 치료법을 말합니다. 이러한 관행은 수천 년 동안 사용되어 왔으며 오늘날에도 전 세계 수백만 명의 사람들이 계속 사용하고 있습니다.

한의학에서는 일반적으로 약초 요법, 침술, 식이요법 등을 사용하여 건강을 증진하고 질병을 예방 및 치료합니다. 한의학에서는 신체를 전체로 보고 치료의 목표는 신체의 여러 시스템 간의 균형과 조화를 회복하는 것입니다. 한의학에서 가장 일반적으로 사용되는 허브에는 인삼, 황기, 감초 뿌리가 있습니다.

인도에서 시작된 아유르베다는 건강을 증진하고 질병을 예방하기 위해 허브, 향신료 및 기타 자연 요법을 사용하는 것을 강조하는 또 다른 고대 치유 전통입니다. 아유르베다 치료는 개인의 고유한 체질이나 도샤(dosha)에 맞게 맞춤화되며 약초 요법, 마사지, 식단 변경 등이 포함될 수 있습니다.

한의학 및 아유르베다 외에도 전통 아프리카 의학, 아메리카 원주민 의학, 남미, 아프리카 및 아시아 여러 지역의 전통 의학 등 다양한 비서양 전통 의학이 있습니다. 이러한 치료법은 현지 동식물의 종과 그 약효에 대한 깊은 이해를 바탕으로 하는 경우가 많습니다.

전통적인 비서양 의학은 수세기 동안 사용되어 왔으며 오늘날에도 여전히 널리 사용되고 있지만, 논란이 없는 것은 아닙니다. 일부에서는 약효를 뒷받침할 과학적 증거가 부족하다고 비판하고 있으며, 특히 다른 나라에서 수입된 일부 약초 요법의 안전성에 대한 우려도 제기되고 있습니다.

이러한 우려에도 불구하고 전통 비서양 의학은 많은 문화권의 치유 전통에서 중요한 부분을 차지하고 있으며 점점 더 서양의학에 통합되고 있습니다. 서양의학과 전통적인 비서양의학을 결합한 통합의학은 환자에게 보다 폭넓은 치료 옵션을 제공하기 위한 방법으로 많은 국가에서 점점 더 보편화되고 있습니다.

통합 의학의 부상

통합의학은 기존의 서양 의학과 대체 및 보완 요법을 결합한 건강 관리에 대한 총체적인 접근 방식입니다. 이 접근법은 몸과 마음, 정신이 서로 연결되어 있으며 증상 뿐만 아니라 사람 전체를 치료하는 것이 건강과 웰빙을 증진하는 데 필수적이라는 점을 인식합니다.

통합 의학의 기원은 1970년대에 의사와 의료 종사자 그룹이 기존 의학의 한계에 의문을 제기하고 보다 총체적인 접근 방식을 도입하기 시작한 시기로 거슬러 올라갈 수 있습니다. 시간이 지남에 따라 이러한 접근 방식은 인기를 얻었고 현재 통합 의학으로 알려진 것으로 발전했습니다.

통합 의학에는 침술, 마사지, 한약, 명상 및 요가와 같은 심신 기법, 영양 상담 등 다양한 요법이 포함됩니다. 또한 환자 중심 치료, 개인 맞춤형 치료 계획, 증거 기반 진료의 중요성을 강조합니다.

통합 의학의 부상은 여러 가지 요인에 기인합니다. 그 중 하나는 당뇨병, 심장병, 자가면역질환과 같은 많은 만성 질환에는 다각적인 치료 접근 방식이 필요하다는 인식이 확산되고 있다는 점입니다. 통합의학은 약물의 필요성을 줄이고 부작용을 최소화할 수 있는 비약물학적 접근법을 포함하여 이러한 질환을 관리할 수 있는 더 광범위한 옵션을 환자에게 제공합니다.

통합 의학의 성장을 이끄는 또 다른 요인은 보다 개인화되고 총체적인 의료 서비스에 대한 환자들의 수요가 증가하고 있다는 점입니다. 많은 사람들이 근본적인 원인 해결보다는 증상 관리에 초점을 맞추고 약물에 과도하게 의존하는 등 기존 의학의 한계에 불만을 갖고 있습니다.
통합의학은 의료계에서도 인정받고 있습니다. 대체 및 보완 요법의 효과에 대한 연구가 활발해지면서 많은 기존 의료 서비스 제공자들이 이러한 접근법을 진료에 도입하고 있습니다.

하지만 통합 의학에 대한 비판도 존재합니다. 일부에서는 통합의학에 대한 명확한 정의와 표준화된 접근 방식이 부족하여 다양한 치료법의 효과를 평가하기 어려울 수 있다고 주장합니다. 또한 일부 대체 요법의 안전성과 효능에 대한 우려와 환자가 필요한 기존 치료를 지연하거나 포기할 수 있다는 우려도 있습니다.

이러한 비판에도 불구하고 통합의학은 의료 업계에서 계속해서 인기와 영향력을 얻고 있습니다. 환자들이 의료 서비스에 대한 보다 개인화되고 총체적인 접근 방식을 찾고 의료계가 보완 요법을 진료에 통합하는 데 더욱 개방적이 되면서 통합 의학의 역할은 앞으로도 계속 커질 것으로 보입니다.

대체 약물의 위험과 이점

최근 몇 년 동안 사람들이 자연 요법과 기존 의학에 대한 보완 요법을 찾으면서 허브 보충제 및 전통 비서양 의약품을 포함한 대체 의약품이 인기를 얻고 있습니다. 이러한 약물은 잠재적인 이점을 제공할 수 있지만 신중하게 고려해야 할 위험도 있습니다.

대체 의약품에 대한 주요 우려 사항 중 하나는 규제와 감독이 부족하다는 것입니다. 처방약과 달리 많은 대체 의약품은 규제 기관의 엄격한 테스트 및 승인 절차를 거치지 않습니다. 즉, 안전성과 효능이 알려지지 않았거나 입증되지 않은 경우가 많습니다.

또 다른 우려 사항은 다른 약물이나 건강 상태와의 상호작용 가능성입니다. 많은 대체 의약품은 안전성과 효능에 대한 테스트를 거치지 않았기 때문에 복용 중인 다른 약물이나 기존 건강 상태와 어떻게 상호작용할 수 있는지 불분명한 경우가 많습니다.

또한 일부 대체 의약품은 부작용이 있거나 특정 인구 집단에 위험을 초래할 수 있습니다. 예를 들어, 일부 허브 보충제는 혈액 희석 효과가 있어 혈액 희석제나 항응고제를 복용하거나 수술을 받는 사람에게 위험할 수 있습니다. 임산부나 어린이에게 유해할 수도 있습니다.

반면에 대체 의약품은 특정 질환이나 증상에 대해 잠재적인 이점을 제공할 수 있습니다. 예를 들어, 일부 연구에 따르면 특정 허브는 항염증 또는 통증 완화 효과가 있으며, 침술은 일부 유형의 만성 통증을 치료하는 데 효과적인 것으로 나타났습니다.

일부 대체 의약품은 잠재적인 이점을 제공할 수 있지만, 기존 의학적 치료를 대체하는 용도로 사용해서는 안 된다는 점에 유의해야 합니다. 일부 대체 약품은 처방약과 상호작용하거나 유해한 부작용을 일으킬 수 있으며, 품질과 순도 측면에서 제대로 규제되거나 표준화되지 않은 약품도 있습니다. 대체 의약품을 포함한 새로운 약물이나 치료를 시작하기 전에 의료진과 상담하고 현재 복용 중인 약물이나 건강 상태를 알리는 것이 중요합니다. 이를 통해 안전하고 효과적인 치료를 보장하고 잠재적인 상호작용이나 위해의 위험을 줄일 수 있습니다.

대체 약물 사용의 역사적 사례

대체 약물은 역사적으로 문화적 관습과 전통적 신념의 결과로 사용되어 왔습니다. 다음은 몇 가지 예입니다:

-**아유르베다 의학:** 아유르베다 의학은 세계에서 가장 오래된 의학 체계 중 하나로, 인도에서 5,000여 년 전으로 거슬러 올라갑니다. 아유르베다 의학은 신체 에너지의 균형을 맞추고 전반적인 웰빙을

증진하기 위한 건강과 웰빙에 대한 총체적인 접근 방식입니다. 아유르베다 의학은 모든 개인은 고유하며 신체적, 정서적, 정신적 특성을 결정하는 특정 심신 체질인 도샤(dosha)를 가지고 있다는 믿음에 기초합니다.

아유르베다 의사는 약초 요법, 식단 수정, 마사지, 명상, 요가 등 다양한 기법을 사용하여 균형을 회복하고 건강을 증진합니다. 약초의 사용은 아유르베다 의학의 핵심 구성 요소이며, 수백 가지의 약초와 향신료가 치료 효과에 사용됩니다.

아유르베다 의학은 최근 몇 년 동안 인도뿐만 아니라 서구 세계에서도 인기를 얻고 있습니다. 불안, 관절염, 천식, 소화기 질환, 피부 문제 등 다양한 건강 상태를 치료하기 위한 보완 의학 또는 대체 의학으로 자주 사용됩니다. 하지만 다른 대체 의학처럼 위험과 한계도 있습니다. 예를 들어, 일부 아유르베다 의약품에는 독성을 유발하고 인체에 해를 끼칠 수 있는 중금속이 함유되어 있을 수 있습니다. 따라서 자격을 갖춘 전문가와 상담하고 치료의 안전성과 효과를 확인하는 것이 필수적입니다. 이러한 우려에도 불구하고 아유르베다 의학은 인도 의료 시스템과 문화의 필수적인 부분으로 자리 잡고 있으며, 건강과 치유에 대한 독특한 접근 방식을 제공합니다.

한의학: 2,500년 전에 개발된 한의학은 허브, 침술 및 기타 요법을 조합하여 균형을 회복하고 질병을 치료합니다. 한의학은 많은 국가에서 주류 의학에 통합되었습니다.

한의학은 수천 년 동안 시행되어 온 전체론적 치유 시스템입니다. 한의학은 경락이라고 불리는 통로를 통해 몸을 흐르는 기 또는 생명 에너지의 개념을 기반으로 합니다. 한의학에 따르면 질병과 질환은 기의 흐름이 방해받거나 막힐 때 발생합니다.

한의사는 기의 균형을 회복하고 건강을 증진하기 위해 침술, 한약, 마사지, 식이요법, 운동 등 여러 가지 기법을 복합적으로 사용합니다. 침술은 미세한 바늘을 신체의 특정 혈자리에 삽입하여 기의 흐름을 자극하고 균형을 회복하는 것입니다. 한약은 뿌리, 잎, 꽃 등 다양한 식물 기반 요법을 사용하여 다양한 건강 상태를 치료합니다. 한의학 마사지 또는 추나는 통증을 완화하고 치유를 촉진하기 위해 신체의 특정 지점에 압력을 가하는 것입니다.

한의학은 많은 국가에서 주류 의학에 통합되었으며 보완 요법 또는 대체 요법으로 인정받고 있습니다. 중국과 같은 일부 국가에서는 한의학이 국가 의료 시스템에 통합되어 만성 통증, 소화 장애, 호흡기 질환 등 다양한 질환을 치료하기 위해 서양의학과 함께 사용되고 있습니다. 하지만 다른 대체 의학처럼 한의학도 논란이 없는 것은 아니며, 그 효능과 안전성에 대해서는 의료 전문가들 사이에서 계속 논쟁의 대상이 되고 있습니다.

아메리카 원주민 의학: 아메리카 원주민 치료사는 수세기 동안 질병을 치료하고 치유를 촉진하기 위해 식물과 기타 천연 물질을 사용해 왔습니다. 예를 들어, 세이지와 삼나무를 이용한 스머징 의식, 버드나무 껍질을 이용한 통증 완화 등이 있습니다.

아메리카 원주민 의학은 북미 전역의 다양한 원주민 부족의 전통적인 치유 관행과 신념을 지칭하는 광범위한 용어입니다. 이러한 관행에는 종종 질병을 치료하고 치유를 촉진하며 전반적인 웰빙을 유지하기 위해 식물, 미네랄, 동물성 제품과 같은 천연 재료를 사용하는 것이 포함됩니다.

가장 잘 알려진 아메리카 원주민 치유법 중 하나는 세이지나 삼나무를 태워 몸과 환경의 부정적인 에너지를 정화하는 스머징 세레모니를 사용하는 것입니다. 일반적으로 사용되는 또 다른 치료법은 살리실산을 함유하고 있으며 수세기 동안 천연 진통제로 사용되어 온 버드나무 껍질입니다.

다른 전통적인 아메리카 원주민 치유법으로는 작고 밀폐된 공간에 들어가 기도와 명상을 하면서 뜨거운 돌로 증기를 만들어 열을 높이는 스웨트 롯지, 자연 속에서 혼자 시간을 보내며 통찰력과 명료함을 얻는 비전 퀘스트가 있습니다.

오늘날에도 북미 전역의 많은 원주민 커뮤니티에서 아메리카 원주민 의학을 실천하고 있으며, 이는 원주민의 문화와 정체성의 중요한 부분으로 자리 잡고 있습니다. 하지만 아메리카 원주민의 전통적인 치료법과 관행이 모든 개인이나 질환에 적합하거나 효과적인 것은 아니며, 새로운 형태의 치료를 시도하기 전에 항상 자격을 갖춘 의료 전문가와 상담하는 것이 중요하다는 점에 유의해야 합니다.

동종요법: 18세기 후반에 개발된 동종요법은 "같은 것은 같은 것을 치료한다"는 생각에 기반을 두고 있습니다. 동종요법은 식물이나 미네랄에서 추출한 고도로 희석된 물질을 사용하여 신체의 자연 치유 과정을 자극합니다.

동종요법은 18세기 후반 독일의 의사 사무엘 하네만이 개발한 대체 의학의 한 형태입니다. 동종요법은 건강한 사람에게 증상을 일으키는 물질을 고도로 희석하여 아픈 사람에게 비슷한 증상을 치료하는 '같은 것은 같은 것을 치료한다'는 원칙에 기반합니다.

동종요법 치료법은 물질을 물이나 알코올에 여러 번 희석하여 원래 물질의 분자가 남지 않을 때까지 만드는 경우가 많습니다. 이 희석 과정은 치료제의 치유력을 높이는 동시에 잠재적인 부작용을 최소화하는 것으로 알려져 있습니다.

동종요법은 감기나 두통과 같은 가벼운 질환부터 천식이나 우울증과 같은 심각한 질환에 이르기까지 다양한 건강 상태를 치료하는 데 사용됩니다. 또한 기존 의학과 함께 보완 요법으로 사용되기도 합니다.

동종요법의 효과는 논란의 여지가 있으며, 일부 연구에서는 긍정적인 결과를 보인 반면 다른 연구에서는 위약 이상의 효능을 입증하지 못했습니다. 동종요법 비판론자들은 동종요법 치료법이 너무 희석되어 실제 효과가 없으며, 인지된 효과는 위약 효과로 인한 것이라고 주장합니다.

이러한 논란에도 불구하고 동종요법은 전 세계 수백만 명의 사람들이 다양한 건강 상태를 치료하기 위해 동종요법을 사용하는 대체 의학의 인기 있는 형태로 남아 있습니다.

자연요법: 자연요법은 허브, 영양, 수치료와 같은 자연 요법에 중점을 두고 질병을 예방하고 치료합니다. 또한 인체가 스스로 치유할 수 있는 능력을 강조합니다.

자연요법은 건강을 증진하고 질병을 예방하기 위해 자연 요법을 사용하는 데 중점을 둔 대체 의학의 한 형태입니다. 자연요법의 철학은 신체가 스스로 치유할 수 있는 선천적 능력을 가지고 있으며, 자연 요법과 생활 습관 수정을 통해 이 과정을 촉진할 수 있다는 믿음에 기반합니다.

자연요법 의사(ND)는 허브, 영양, 수치료, 물리치료 등 다양한 자연요법을 사용하여 광범위한 건강 상태를 치료할 수 있도록 훈련받았습니다. 또한 환자가 최적의 건강을 유지할 수 있도록 예방 치료와 교육의 중요성을 강조합니다.

자연요법의 원칙은 다음과 같습니다:

자연요법은 신체의 타고난 치유 능력을 인정하고 자연 요법을 통해 이 과정을 지원합니다.

근본 원인을 파악하고 치료합니다. 자연요법 의사는 증상만 치료하는 것이 아니라 질병의 근본 원인을 파악하고 이를 해결하는 데 중점을 둡니다.

해를 끼치지 않습니다. 자연요법 의학은 부작용의 위험을 최소화하는 안전하고 비침습적인 치료법을 사용하는 것을 강조합니다.

사람 전체를 치료합니다. 자연요법 의사는 치료 계획을 수립할 때 개인의 신체적, 정신적, 정서적, 영적 건강을 고려합니다.

자연요법 의사는 환자가 자신의 건강을 위해 능동적인 역할을 할 수 있도록 교육하고 권한을 부여합니다.

자연요법은 만성 통증, 알레르기, 소화기 문제, 호르몬 불균형 등 다양한 건강 상태를 치료하는 데 효과적인 것으로 나타났습니다. 하지만 심각한 질병이나 부상의 경우 자연요법을 기존 의학적 치료의 대체물로 사용해서는 안 된다는 점에 유의해야 합니다.

미국, 캐나다, 호주를 포함한 많은 국가에서 자연요법은 인정받는 의료 전문직입니다. 자연요법 의사는 공인된 기관에서 4년제 자연요법 의학 학위를 취득하고 국가 시험에 합격하는 등 엄격한 교육 및 훈련 프로그램을 이수해야 면허를 취득할 수 있습니다.

많은 대체 요법이 오랜 기간 사용되어 왔고 이점을 제공할 수 있지만, 위험도 수반할 수 있다는 점을 기억하는 것이 중요합니다. 일부 대체 요법은 처방약과 상호작용하거나 자체적인 부작용이 있을 수 있습니다. 특히 기존 질환이 있거나 다른 약물을 복용 중인 경우 대체 약물을 사용하기 전에 의료진과 상의하는 것이 중요합니다.

10
약물의 미래:
발전과 도전

의약품 개발 및 사용의 최신 발전

의약품 개발과 사용은 수년에 걸쳐 먼 길을 걸어왔으며, 최근에는 많은 흥미로운 발전이 이루어지고 있습니다. 다음은 최근의 몇 가지 발전 사항입니다:

-**정밀 의학:** 정밀 의학은 환자의 유전적 구성, 생활 방식, 환경 등을 고려하여 개인 맞춤형 치료법을 개발하는 접근 방식입니다. 정밀 의학은 개인의 고유한 필요에 맞게 치료를 맞춤화함으로써 효과를 극대화하고 부작용을 최소화하는 것을 목표로 합니다.

맞춤 의학이라고도 하는 정밀 의학은 환자 개개인의 특성을 고려하여 보다 표적화되고 효과적인 치료법을 개발하는 약물 치료 접근 방식입니다. 이 접근 방식은 환자마다 유전적 구성, 생활 방식, 환경이 다르기 때문에 개인별 맞춤 치료 계획이 필요하다는 점을 인식합니다.

정밀 의학의 발전은 기술과 유전체학의 발전으로 가능해졌습니다. 유전자 검사를 통해 연구자들은 특정 질병이나 상태와 관련이 있을 수 있는 환자 DNA의 특정 돌연변이 또는 변이를 식별할 수 있습니다. 이러한 정보는 일률적인 접근 방식이 아닌 특정 유전적 요인을 표적으로 하는 치료법을 개발하는 데 사용될 수 있습니다.

유망한 개발 분야 중 하나는 환자의 질병 상태나 치료에 대한 반응을 측정할 수 있는 지표인 바이오마커를 사용하는 것입니다. 바이오마커는 치료 결정을 내리고 치료 경과를 모니터링하는 데 사용되어 치료 결과를 최적화하고 부작용의 위험을 줄이는 데 도움이 됩니다.

정밀 의학의 또 다른 중요한 측면은 데이터와 분석을 사용하여 치료 결정을 내리는 것입니다. 대규모 데이터 세트와 고급 분석 도구의 가용성이 증가함에 따라 의료 서비스 제공자는 실제 환자 데이터에서 얻은 인사이트를 활용하여 치료 결과의 패턴과 추세를 파악할 수 있습니다. 이는 치료 프로토콜을 개선하고 신약 개발을 위한 새로운 표적을 식별하는 데 도움이 될 수 있습니다.

정밀 의학의 주요 이점 중 하나는 치료 결과를 개선하고 부작용을 줄일 수 있는 잠재력입니다. 정밀 의학은 질병의 근본적인 유전적 원인을 표적으로 삼아 환자에게 가장 효과적인 치료를 제공하는 동시에 효과가 없거나 심지어 해로울 수 있는 약물을 피할 수 있도록 도와줍니다. 시행착오를 겪는 치료 접근법의 필요성을 줄이고 불필요한 개입을 피함으로써 의료 비용을 절감할 수 있는 잠재력을 가지고 있습니다.

정밀 의학은 이미 암, 심장병, 희귀 유전 질환 등 다양한 질환을 치료하는 데 사용되고 있습니다. 예를 들어 종양학에서는 건강한 세포는 그대로 둔 채 암세포만 선택적으로 죽일 수 있는 표적 치료법을 개발하는 데 정밀 의학이 활용되고 있습니다.

하지만 정밀 의학에는 몇 가지 도전 과제도 있습니다. 예를 들어, 유전자 검사와 맞춤형 치료는 비용이 많이 들 수 있으며 모든 환자가 이러한 서비스를 이용할 수 있는 것은 아닙니다. 또한 정밀 의료와 관련된 데이터의 복잡성으로 인해 데이터를 효과적으로 해석하고 사용하기가 어려울 수 있습니다.

전반적으로 정밀 의학은 다양한 질환을 치료하는 방식을 혁신할 수 있는 잠재력을 지닌 의약품 개발 및 사용의 새로운 개척지입니다. 새로운 기술과 데이터 소스가 계속 등장함에 따라 정밀 의학은 미래의 의학에서 점점 더 중요한 역할을 할 것으로 보입니다.

-**면역 요법**: 이 치료법은 면역 체계의 힘을 활용하여 암 및 기타 질병과 싸우는 치료법입니다. 건강한 세포는 그대로 둔 채 암세포와 같은 특정 세포를 인식하고 공격하도록 면역 체계를 자극하는 것입니다.

면역 요법은 질병, 특히 암과 싸우기 위해 신체 자체의 면역 체계를 자극하는 것을 목표로 하는 빠르게 발전하는 의학 분야입니다.

암세포와 건강한 세포를 모두 표적으로 하는 화학 요법 및 방사선 요법과 같은 전통적인 암 치료와 달리 면역 요법은 암세포만 표적으로 하고 건강한 세포는 보호합니다.

면역 요법에는 면역 관문 억제제(immune checkpoint inhibitors) CAR-T 세포 치료, 암 백신 등 여러 가지 유형이 있습니다. 면역 관문 억제제는 면역 세포가 암세포를 인식하고 공격하는 것을 방해하는 단백질을 차단하는 반면, CAR-T 세포 요법은 암세포를 더 잘 인식하고 파괴하도록 환자의 T 세포를 변형하는 것입니다. 암 백신은 기존 백신이 감염성 질환에 대항하는 방식과 유사하게 암세포에 대한 면역 반응을 유발하는 방식으로 작동합니다.

면역 요법은 흑색종, 폐암, 방광암을 포함한 여러 유형의 암 치료에 유망한 결과를 보여주었습니다. 그러나 면역치료는 아직 비교적 새로운 접근법이며 연구자들은 면역치료의 한계와 다른 치료법과 함께 사용하는 최선의 방법을 이해하기 위해 계속 연구하고 있습니다.

암 치료 외에도 면역 요법은 류마티스 관절염이나 다발성 경화증과 같은 자가 면역 질환에 대한 잠재적 치료법으로 연구되고 있습니다. 면역 요법은 특정 세포를 표적으로 삼도록 면역 체계를 재프로그래밍함으로써 다양한 질병에 대해 보다 표적화되고 효과적인 치료법을 제공할 수 있는 잠재력을 가지고 있습니다.

현재 승인된 면역 요법 외에도 연구자들은 새로운 면역 요법 치료법과 조합을 계속 연구하고 있으며, 자가 면역 질환 및 감염성 질환과 같은 암 이외의 다른 질병을 치료하기 위해 면역 요법의 사용을 확대하고 있습니다.

-유전자 치료: 유전자 치료는 질병을 치료하거나 예방하기 위해 유전자를 조작하거나 수정하는 치료의 한 형태입니다. 유전자 치료의 목표는 유전 질환의 증상을 치료하거나 완화하기 위해 결함이 있거나 누락된 유전자를 수정하거나 대체하는 것입니다. 이 과정에는 환자의 세포에 새롭고 건강한 유전자 사본을 삽입하거나 기존 유전자를 편집하여 돌연변이 또는 기타 이상을 교정하는 것이 포함됩니다.

유전자 치료의 개발은 의학의 획기적인 발전으로, 이전에는 치료할 수 없었던 유전 질환을 치료할 수 있는 가능성을 제시했습니다. 예를 들어, 유전자 치료는 겸상 적혈구 질환, 혈우병, 특정 유형의 실명과 같은 질환에 대한 임상 시험에서 유망한 결과를 보여주었습니다. 유전자 치료는 암세포의 성장과 확산에 관여하는 특정 유전자를 표적으로 삼아 일부 형태의 암을 치료하는 데에도 사용되었습니다.

유전자 치료에는 결함이 있는 유전자를 건강한 사본으로 대체하거나, 제대로 작동하지 않는 유전자를 복구하거나, 특정 기능을 제공하기 위해 새로운 유전자를 도입하는 등 여러 가지 접근 방식이 있습니다. 유전자 치료의 전달도 중요한 고려 사항이며, 바이러스를 사용하여 새로운 유전자를 전달하거나 환자의 세포에 직접 유전자를 주입하는 등의 옵션이 있습니다.

유전자 치료는 다양한 질병을 치료할 수 있는 큰 가능성을 가지고 있지만, 널리 보급되기까지 극복해야 할 과제가 아직 많이 남아 있습니다. 이러한 과제에는 안전하고 효과적인 전달 방법을 개발하고, 면역 반응을 유발하거나 의도치 않게 다른 유전자에 돌연변이를 일으키는 등의 의도치 않은 결과를 피하며, 치료가 필요한 환자들이 치료제에 접근하고 저렴하게 이용할 수 있도록 하는 것이 포함됩니다. 그럼에도 불구하고 유전자 치료의 잠재적인 이점으로 인해 현대 의학에서 유전자 치료는 흥미로운 연구 및 개발 분야입니다.

유전자 치료에는 유전자 물질을 표적 세포에 안전하고 효율적으로 전달할 수 있는 효과적인 전달 시스템을 개발하고, 표적 외 효과와 잠재적인 면역 반응을 피하며, 치료의 장기적인 안전성과 효능을 보장하는 등 아직 극복해야 할 과제가 많이 남아 있습니다. 그러나 CRISPR-Cas9과 같은 유전자 편집 기술에 대한 지속적인 연구와 발전은 향후 더욱 정확하고 효과적인 유전자 치료 접근법에 대한 유망한 잠재력을 제공합니다. 모든 새로운 치료법과 마찬가지로 유전자 치료법은 임상에서 널리 채택되기 전에 안전성과 효능을 보장하기 위해 계속해서 엄격한 테스트와 규제를 받게 될 것입니다.

-디지털 치료법: 모바일 앱이나 가상현실과 같은 디지털 기술을 사용하여 질병을 치료하거나 예방하는 소프트웨어 기반 치료법입니다. 예를 들면 정신 건강을 위한 인지 행동 치료 앱과

통증 관리를 위한 가상 현실 치료 등이 있습니다.

디지털 치료제(DTx)는 소프트웨어 기반 개입을 통해 다양한 질병을 치료하거나 예방하는 분야로 빠르게 성장하고 있습니다. 기존 약물과 달리 DTx는 모바일 앱, 웨어러블 기기 또는 기타 디지털 플랫폼을 통해 전달됩니다. 이러한 중재의 효과는 임상시험을 통해 뒷받침되며, 미국 식품의약국(FDA) 및 유럽 의약품청(EMA)과 같은 보건 당국의 규제를 받습니다.

DTx는 정신 건강, 만성 질환, 약물 남용 등 다양한 건강 상태에 사용할 수 있습니다. 예를 들어, 인지행동치료(CBT) 앱은 스마트폰을 통해 개인 맞춤형 치료 세션을 제공함으로써 우울증, 불안 또는 기타 정신 건강 문제가 있는 사람들에게 도움을 줄 수 있습니다. 마찬가지로 모바일 앱과 웨어러블은 당뇨병, 고혈압, 심장병과 같은 만성 질환을 모니터링하고 관리하는 데 사용할 수 있습니다.

가상 현실(VR)은 DTx에 사용되는 또 다른 유망한 기술입니다. VR 치료는 만성 통증, 외상 후 스트레스 장애(PTSD), 공포증과 같은 다양한 질환을 치료하는 데 효과적인 것으로 나타났습니다. 몰입형 인터랙티브 환경을 조성함으로써 VR 치료는 환자가 대처 메커니즘을 배우고 증상을 완화하는 데 도움이 될 수 있습니다.

DTx는 보다 접근하기 쉽고 비용 효율적이며 개인화된 치료법을 제공함으로써 의료 서비스 접근 방식을 혁신할 수 있는 잠재력을 가지고 있습니다. 그러나 DTx는 기존 치료법을 대체하는 것이 아니며, 기존 치료법과 함께 사용해야 한다는 점에 유의해야 합니다.

디지털 치료제는 치료의 접근성과 비용 효율성을 높여 의료 서비스를 혁신할 수 있는 잠재력을 가지고 있습니다. 디지털 치료법은 기존 치료법과 함께 사용하거나 독립적인 치료법으로 사용할 수 있습니다. 그러나 이러한 디지털 치료의 효과와 안전성에 대한 우려와 규제 감독의 필요성도 제기되고 있습니다.

-3D 프린팅: 3D 프린팅 기술은 환자의 특정 요구에 맞는 맞춤형 의약품을 제작할 수 있게 함으로써 의약품 개발에 혁신을 일으키고 있습니다. 이를 통해 약물 효능을 개선하고 부작용을 줄일 수 있습니다.

3D 프린팅은 재료를 층층이 쌓아 올려 입체적인 물체를 만들 수 있는 기술입니다. 의약품 개발에서 3D 프린팅은 환자의 특정 요구에 맞는 맞춤형 의약품을 만드는 데 사용되고 있습니다. 이는 컴퓨터 지원 설계(CAD) 프로그램을 사용하여 의약품의 3D 모델을 생성한 다음 특수 3D 프린터를 사용하여 "인쇄"하는 방식으로 이루어집니다.

3D 프린팅 의약품의 주요 장점 중 하나는 약물의 복용량과 방출 속도를 정밀하게 제어할 수 있다는 점입니다. 이를 통해 약물이 가능한 가장 효과적인 방식으로 전달되도록 함으로써 약효를 개선하고 부작용을 줄일 수 있습니다. 또한 3D 프린팅은 전통적인 제조 방법으로는 생산하기 어렵거나 불가능한 복잡한 모양과

구조를 가진 의약품을 만드는 데 사용할 수 있습니다.

의약품 개발에서 3D 프린팅의 또 다른 잠재적 이점은 현장에서 신속하게 의약품을 생산할 수 있다는 점입니다. 이는 의약품에 대한 접근이 제한적인 응급 상황이나 전통적인 제조 및 유통 채널을 쉽게 이용할 수 없는 외딴 지역 또는 자원이 부족한 지역에서 특히 유용할 수 있습니다.

하지만 의약품 개발에서 3D 프린팅과 관련된 몇 가지 문제도 있습니다. 예를 들어, 3D 프린팅 의약품에 대한 규제 환경은 여전히 진화 중이며, 이 기술을 사용하여 생산된 의약품의 안전성과 품질에 대한 우려가 있습니다. 또한 3D 프린팅 기술의 비용과 복잡성으로 인해 일부 환경에서는 접근성이 제한될 수 있습니다.
3D 프린팅 기술은 환자 개개인의 필요에 맞는 맞춤형 의약품을 제작할 수 있게 함으로써 의약품 개발에 혁신을 일으킬 잠재력을 가지고 있습니다. 아직 극복해야 할 과제가 남아 있지만, 이 기술의 가능성은 매우 흥미진진하며 의료의 미래에 큰 잠재력을 가지고 있습니다.

맞춤형 의약품 외에도 3D 프린팅 기술은 환자의 고유한 해부학적 구조에 맞게 맞춤 제작할 수 있는 임플란트 및 보철물과 같은 의료 기기를 제작하는 데에도 사용되고 있습니다. 이를 통해 환자의 치료 결과를 개선하고 추가 수술이나 조정의 필요성을 줄일 수 있습니다. 3D 프린팅은 아직 개발 초기 단계에 있지만 이식을 위한 장기 및 조직 제작에도 활용되고 있습니다. 전반적으로 3D 프린팅은 의학 분야에 큰 영향을 미치고 다양한 방식으로 환자 치료를 개선할 수 있는 잠재력을 가지고 있습니다.

-바이오시밀러: 바이오시밀러는 살아있는 유기체 또는 그 구성 요소로 만들어진 기존 생물학적 의약품과 매우 유사하도록 설계된 의약품의 일종입니다. 바이오시밀러는 일반적으로 브랜드 의약품보다 가격이 저렴하기 때문에 필수 치료제에 대한 접근성을 높이고 의료 비용을 절감할 수 있는 잠재력을 가지고 있습니다. 하지만 엄격한 테스트를 거쳐야 하며 오리지널 생물학적 의약품과 동일한 안전성 및 효능 기준을 충족해야 합니다.

많은 생물학적 의약품이 비싸고 많은 환자에게 접근하기 어렵기 때문에 바이오시밀러는 의료 분야에서 점점 더 중요해지고 있습니다. 바이오시밀러는 보다 저렴한 대안을 제공함으로써 전 세계 사람들에게 생명을 구하는 치료법에 대한 접근성을 확대할 수 있는 잠재력을 가지고 있습니다.

바이오시밀러는 오리지널 생물학적 의약품과 매우 유사하도록 설계되었지만, 제조 공정에서 약간의 차이가 있어 최종 제품에 차이가 있을 수 있습니다. 이러한 이유로 바이오시밀러는 안전하고 효과적인지 확인하기 위해 광범위한 테스트를 거쳐야 합니다.

이러한 테스트에는 구조, 순도, 효능 및 안전성 측면에서 바이오시밀러와 오리지널 의약품을 비교하고, 바이오시밀러가 오리지널 의약품과 동일한 임상 결과를 생성한다는 것을 입증하기 위한 임상시험을 수행하는 것이 포함됩니다.

바이오시밀러의 잠재적 이점에도 불구하고 바이오시밀러 사용에 대한 불확실성과 논쟁은 여전히 존재합니다. 바이오시밀러가 예상치 못한 부작용을 일으키거나 오리지널 생물학적 의약품보다 효과가 떨어질 가능성에 대한 우려가 제기되고 있습니다. 따라서 의료진과 환자는 바이오시밀러의 장점과 위험에 대해 충분히 숙지하고 정보에 입각한 치료 결정을 내리기 위해 함께 노력하는 것이 중요합니다.

바이오시밀러는 경쟁을 촉진하고 비용을 절감하여 제약 산업을 혁신할 수 있는 잠재력을 가지고 있습니다. 바이오시밀러는 암, 당뇨병, 자가면역질환과 같은 질병에 대한 중요한 생물학적 치료제에 대한 접근성을 확대하는 데 중요한 역할을 할 것으로 기대됩니다. 또한 바이오시밀러 개발에는 안전성과 효능을 보장하기 위한 광범위한 테스트와 임상시험이 필요하며, 이는 의약품 개발에 대한 전반적인 규제 프레임워크를 강화하는 데 도움이 될 수 있습니다.

바이오시밀러의 사용이 계속 증가함에 따라 의료 전문가와 환자 모두 바이오시밀러의 장점과 한계는 물론 승인 및 사용에 적용되는 규제 프로세스를 철저히 이해하는 것이 중요합니다.

-AI 지원 신약 개발: 인공지능은 대량의 데이터를 분석하고 잠재적인 치료법의 효과를 예측하여 신약 개발 프로세스의 속도를

높이는 데 사용되고 있습니다.

AI 지원 신약 개발은 머신러닝(machine learning) 알고리즘을 사용하여 방대한 양의 데이터를 분석하고 잠재적인 새로운 치료법을 식별하는 유망한 새로운 신약 개발 접근 방식입니다. 이 접근 방식은 연구자가 유망한 후보를 더 빠르고 효율적으로 식별할 수 있도록 지원함으로써 신약 개발 프로세스의 속도를 크게 높일 수 있습니다.

AI 지원 신약 개발의 주요 이점 중 하나는 대규모 데이터 세트를 분석하고 인간 연구자에게는 분명하지 않을 수 있는 패턴을 식별하는 능력입니다. 예를 들어, AI 알고리즘을 사용하여 대규모 게놈 데이터 세트를 분석하고 특정 질병과 관련된 유전적 돌연변이를 식별할 수 있습니다. 이러한 돌연변이를 식별함으로써 연구자들은 단순히 증상을 치료하는 것이 아니라 질병의 근본적인 원인을 표적으로 삼는 약물을 개발할 수 있습니다.

AI가 신약 개발에 활용되는 또 다른 방법은 잠재적인 치료법의 효능을 예측하는 것입니다. AI 알고리즘은 단백질의 구조와 단백질이 잠재적인 약물 분자와 상호 작용하는 방식에 대한 대량의 데이터를 분석하여 동물 또는 인간 실험을 수행하기 전에 어떤 약물이 가장 효과적일 가능성이 높은지 예측할 수 있습니다. 이를 통해 신약 개발에 소요되는 시간과 비용을 크게 줄일 수 있으며, 연구자들이 가장 유망한 후보를 우선순위에 두고 추가 연구를 진행할 수 있도록 도와줍니다.

AI를 활용한 신약 개발은 이미 암, 알츠하이머병, 자가면역질환 등 다양한 질병에 대한 새로운 치료법을 찾는 데 있어 유망한 결과를 보여주고 있습니다. AI 기술이 계속 발전함에 따라 신약 개발 프로세스를 혁신하고 그 어느 때보다 빠르게 환자에게 새롭고 효과적인 치료법을 제공할 수 있는 잠재력을 가지고 있습니다.

AI를 활용한 신약 개발은 새로운 치료법의 개발을 가속화하고 기존 치료법의 효능을 개선함으로써 의학 분야에 혁신을 일으킬 잠재력을 가지고 있습니다. 그러나 AI 알고리즘이 사용하는 데이터의 품질과 정확성을 보장하고 데이터 프라이버시 및 윤리에 대한 우려를 해결하는 등 해결해야 할 과제와 한계도 있습니다.

정밀 의학의 도전과 기회

개인 맞춤 의학이라고도 하는 정밀 의학은 개인의 고유한 유전적, 환경적, 생활 습관적 요인을 고려하여 특정 질병에 대한 표적 치료법을 개발하는 의료 접근 방식입니다. 정밀 의학은 많은 유망한 기회를 제공하지만 여러 가지 도전 과제도 안고 있습니다.

정밀 의학의 주요 과제 중 하나는 개인 맞춤형 치료법을 개발하고 실행하는 데 드는 비용입니다. 정밀 의학은 유전자 염기서열 분석 및 데이터 분석과 같은 첨단 기술에 의존하기 때문에 비용이 많이 들 수 있습니다. 또한 각 환자에 대한 맞춤형 치료법을 개발하려면 상당한 시간과 리소스가 필요하므로 비용이 더욱 증가할 수 있습니다.

정밀 의료의 또 다른 과제는 환자 데이터의 개인정보 보호와 보안을 보장하는 것입니다. 정밀 의학은 유전자 정보와 건강 기록을 포함한 대량의 환자 데이터를 수집하고 분석하는 데 의존합니다. 이러한 데이터는 환자의 프라이버시를 보호하기 위해 안전하게 기밀로 유지되어야 하지만, 동시에 개인 맞춤형 치료법 개발을 위해 의료 서비스 제공자 및 연구자들과 공유되어야 합니다.
개인 맞춤형 치료는 환자 데이터에 크게 의존하기 때문에 이 데이터가 수집, 저장, 사용되는 방식에 대한 우려가 있습니다.

이러한 어려움에도 불구하고 정밀 의학은 의료 결과를 개선할 수 있는 많은 기회를 제공합니다. 정밀 의학은 개인의 고유한 필요에 맞게 치료를 맞춤화함으로써 치료 효과를 개선하고 부작용 발생률을 줄일 수 있는 잠재력을 가지고 있습니다. 또한 질병을 조기에 발견하고 예방할 수 있을 뿐만 아니라 보다 정확한 진단을 내릴 수 있는 잠재력을 제공합니다.

정밀 의학은 또한 의료 산업에서 협업과 혁신의 기회를 제공합니다. 연구자와 의료진이 협력하여 새롭고 효과적인 치료법을 개발할 수 있으며, 환자는 개인 맞춤형 치료 계획 개발에 참여함으로써 자신의 건강 관리에 더욱 적극적으로 참여할 수 있습니다.

정밀 의학은 의료 업계에 도전과 기회를 동시에 제공합니다. 개인 맞춤형 치료법을 개발하고 환자 데이터를 보호하는 데 드는 비용과 복잡성은 상당한 도전 과제이지만, 의료 결과를 개선하고 의학 연구를 발전시키는 데 있어 정밀 의학의 잠재적 이점을 고려하면 정밀 의학은 의료의 미래를 위한 유망한 접근 방식입니다.

의약품 규제와 안전의 미래

의약품 규제 및 안전의 미래는 의약품 개발 및 사용의 새로운 발전에 발맞춰 끊임없이 진화하고 있습니다. 향후 중점적으로 다룰 몇 가지 주요 분야는 다음과 같습니다:

-**디지털 의료 기술:** 모바일 의료 앱과 웨어러블 기기를 비롯한 디지털 의료 기술의 출현은 의료 서비스 제공과 환자 치료 결과를 개선할 수 있는 중요한 기회를 가져왔습니다. 하지만 다른 신기술과 마찬가지로 특히 규제 및 안전 측면에서 고려해야 할 잠재적 위험과 과제도 있습니다. 규제 기관이 이러한 제품에 대한 가이드라인과 표준을 수립해야 할 필요성이 커지고 있습니다. 여기에는 이러한 제품이 안전하고 효과적이며 소비자에게 정확하게 판매되는지 확인하는 것도 포함됩니다.

미국 식품의약국(FDA)과 같은 규제 기관은 이러한 제품이 안전성, 유효성 및 정확성에 대한 적절한 기준을 충족하는지 확인하는 임무를 맡고 있습니다. 여기에는 디지털 의료 기술을 개발하고 검증하는 데 사용되는 데이터의 품질을 평가하고 임상에서 적절하게 사용하기 위한 명확한 지침을 수립하는 것이 포함됩니다.

규제 기관이 직면한 주요 과제 중 하나는 디지털 의료 분야의 기술 혁신 속도가 빨라 최신 개발 동향을 따라잡고 신제품의 위험과 이점을 평가하기가 어렵다는 점입니다. 또한 이러한 기술의 안전성과 효과에 대한 신뢰할 수 있는 정보에 접근할 수 없는 의료 서비스 제공자와 환자에게도 문제가 발생할 수 있습니다.

이러한 문제를 해결하기 위해 규제 기관은 디지털 의료 기술의 개발과 규제를 발전시키는 데 중점을 둔 FDA의 디지털 의료 우수 센터와 같은 평가 및 감독에 대한 새로운 접근 방식을 점점 더 많이 채택하고 있습니다.

전반적으로 의약품 규제 및 안전의 미래는 디지털 의료 기술의 지속적인 발전과 이러한 발전에 발맞추고 환자들이 안전하고 효과적인 치료법을 이용할 수 있도록 보장하기 위한 규제 기관의 지속적인 노력에 의해 형성될 가능성이 높습니다.

디지털 의료 기술의 사용이 계속 증가함에 따라 규제 기관은 새로운 개발에 대한 최신 정보를 파악하고 그에 따라 규제 프로세스를 조정하는 것이 중요합니다. 여기에는 이러한 기술의 안전성과 유효성을 모니터링하고 임상 환경에서 사용하기 위한 가이드라인을 개발하는 것이 포함됩니다. 또한 사회경제적 지위나 지리적 위치에 관계없이 모든 환자가 이러한 기술에 접근할 수 있도록 하는 것도 중요합니다. 규제 기관은 이러한 과제와 기회를 해결함으로써 디지털 의료 기술의 개발과 채택을 촉진하는 동시에 환자의 안전과 양질의 의료 서비스에 대한 접근성을 보장할 수 있습니다.

- **Real-world evidence (RWE):** 의약품의 장기적인 안전성과 효과를 더 잘 이해하기 위해 기존의 임상시험 데이터(traditional clinical trial)를 실제 임상시험 데이터(real-world evidence)로 보완할 필요성에 대한 인식이 높아지고 있습니다. 실제 임상 증거(RWE)는 전자 의료 기록(EHR), 청구 데이터, 환자 생성 데이터 등 기존 임상시험 이외의 출처에서 수집한 데이터를 말합니다. RWE는 의약품의 장기적인 안전성과 효과는 물론 실제 환경에서 치료가 환자 결과에 미치는 영향에 대한 귀중한 인사이트를 제공할 수 있습니다.

최근 몇 년 동안 의약품 개발 및 규제 의사 결정에 RWE를 사용하는 사례가 증가하고 있습니다. 규제 당국과 정책 입안자들은 실제 환경의 환자 집단을 정확하게 반영하지 못할 수 있는 엄격한 포함 및 제외 기준이 있는 임상시험 데이터에만 의존하는 것의 한계를 인식하고 있습니다. RWE는 고령자나 동반 질환이 있는 환자 등 임상시험에서 일반적으로 나타나지 않는 환자 집단과 치료 패턴에 대한 정보를 제공함으로써 임상시험 데이터를 보완할 수 있습니다.

또한 기존 데이터 소스를 사용하여 규제 당국의 의사결정을 지원할 수 있는 근거를 생성할 수 있으므로 RWE를 사용하면 신약 개발 프로세스를 가속화하고 비용을 절감할 수 있는 잠재력이 있습니다. 그러나 다양한 출처에서 데이터 품질과 일관성을 보장해야 하고 관찰 연구에서 편향과 혼동을 일으킬 가능성이 있는 등 RWE

사용과 관련된 문제도 있습니다.

이러한 문제를 해결하기 위해 규제 기관은 RWE의 수집 및 분석에 대한 지침과 표준을 수립하기 위해 노력하고 있습니다. 예를 들어, FDA는 규제 의사 결정에 RWE를 사용할 수 있도록 지원하기 위해 실제 임상시험 증거 프로그램을 시작했습니다. 이 프로그램에는 RWE 수집 및 분석을 위한 모범 사례를 개발하기 위한 이니셔티브와 의약품 개발 및 시판 후 감시에서 RWE의 사용을 모색하기 위한 이해관계자와의 협력이 포함됩니다.

RWE의 사용은 또한 신약 개발의 효율성과 비용 효과를 높이는 방법으로 간주됩니다. 연구자들은 RWE를 사용하여 기존 약물의 새로운 적응증을 찾아내거나 새로운 용도로 약물의 용도를 변경할 수 있으며, 이를 통해 완전히 새로운 약물을 처음부터 개발하는 것보다 시간과 자원을 절약할 수 있습니다.

그러나 RWE의 품질과 신뢰성에 대한 우려와 함께 환자 개인정보 보호 및 데이터 보안과 관련된 문제도 해결해야 할 과제입니다. FDA와 같은 규제 기관은 데이터의 품질이 우수하고 엄격한 기준을 충족하도록 보장하면서 RWE를 의사 결정 프로세스에 통합하는 방법을 적극적으로 모색하고 있습니다.

-약물감시: 약물감시란 약물의 안전성과 효능을 보장하기 위해 약물을 지속적으로 모니터링하는 것을 말합니다. 여기에는 부작용, 약물 상호 작용 및 기타 잠재적 위험에 대한 모니터링이

포함됩니다. 새로운 약물이 개발되고 도입됨에 따라 환자 안전을 보장하기 위한 강력한 약물감시 시스템이 지속적으로 요구될 것입니다.

약물감시는 약물 규제 및 안전의 중요한 측면입니다. 약물감시에는 의약품이 승인되어 시장에 출시된 후에도 환자에게 안전하고 효과적인지 확인하기 위해 체계적이고 지속적으로 모니터링하는 것이 포함됩니다. 이러한 모니터링에는 부작용 또는 기타 약물 관련 문제를 감지, 평가, 예방하는 것이 포함됩니다.

또한 약물감시는 단순히 의약품이 승인되어 시장에 출시된 후의 모니터링에만 국한되지 않습니다. 또한 잠재적인 안전성 문제를 조기에 식별하고 임상시험 설계에 정보를 제공함으로써 의약품 개발 프로세스에서 중요한 역할을 합니다.

약물감시에는 임상시험, 관찰 연구, 의료 전문가 및 환자의 자발적 보고, 기타 관련 출처 등 다양한 출처에서 데이터를 수집하고 분석하는 작업도 포함됩니다. 전통적인 약물감시 방법 외에도 기술의 발전으로 약물 안전성을 모니터링하는 새로운 도구와 기법도 개발되었습니다. 예를 들어, 자연어 처리 및 머신 러닝 알고리즘을 사용하여 소셜 미디어 게시물 및 온라인 포럼과 같은 대량의 비정형 데이터를 분석하여 잠재적인 부작용 및 기타 안전 문제를 식별할 수 있습니다.
약물감시의 목표는 의약품과 관련된 잠재적인 안전성 문제나 위험을 파악하고, 라벨을 업데이트하거나 필요한 경우 의약품을 시장에서 철수하는 등 이러한 위험을 완화하기 위한 적절한 조치를 취하는 것입니다.

새로운 약물과 기술의 사용이 증가함에 따라 약물감시는 환자 안전을 보장하는 데 더욱 중요해졌습니다. 이에 따라 전 세계 규제 기관은 시판 전 임상시험부터 시판 후 감시에 이르기까지 의약품의 수명 주기 전반에 걸쳐 의약품을 모니터링하는 시스템과 프로세스를 구현했습니다. 이러한 노력으로 많은 잠재적 위험을 식별하고 완화할 수 있었으며 전반적인 의약품 안전성을 개선하는 데 도움이 되었습니다.

그러나 약물감시에는 보다 포괄적이고 표준화된 보고 시스템의 필요성, 실제 데이터를 약물감시 프로세스에 통합해야 할 필요성, 약물감시 표준의 글로벌 조화에 대한 필요성 등 여전히 해결해야 할 과제가 존재합니다. 이러한 과제를 해결하는 것은 약물 안전을 개선하고 환자가 최상의 치료를 받을 수 있도록 보장하는 데 매우 중요합니다.

-정밀 의학: 정밀 의학의 인기가 계속 높아짐에 따라 개인 맞춤형 치료가 안전하고 효과적인지 확인하기 위한 새로운 규제 프레임워크가 필요할 것입니다. 여기에는 유전자 검사 및 기타 개인 맞춤형 의료 도구 사용에 대한 가이드라인 수립이 포함됩니다.

정밀 의학은 개인의 고유한 유전적 구성, 환경, 라이프스타일에 맞춰 치료법을 맞춤화하는 것을 목표로 빠르게 발전하고 있는 분야입니다. 유전자 검사 및 기타 개인 맞춤 의학 도구의 가용성이 증가함에 따라 이러한 치료법이 안전하고 효과적이며 윤리적으로 건전한지 확인하기 위한 규제 프레임워크의 필요성이 커지고 있습니다.

정밀 의학이 직면한 가장 큰 과제 중 하나는 개인 맞춤형 치료의 이점과 유전자 데이터를 사용하여 의학적 결정을 내릴 때 발생할 수 있는 잠재적 위험 사이의 균형을 맞춰야 한다는 것입니다. 예를 들어, 유전자 데이터가 유전자 구성에 따라 개인이나 집단을 차별하는 데 사용될 수 있는 위험이 있습니다. 이러한 우려를 해결하기 위해 규제 기관은 유전자 검사 및 기타 맞춤 의학 도구가 공정하고 윤리적인 방식으로 사용되도록 보장하는 가이드라인을 마련해야 합니다.

정밀 의학이 직면한 또 다른 과제는 데이터 공유 및 상호 운용성에 대한 표준을 확립해야 한다는 것입니다. 정밀 의학은 여러 소스의 대량의 데이터 분석에 의존하기 때문에 이러한 데이터를 서로 다른 시스템에서 쉽게 공유하고 통합할 수 있어야 합니다. 이를 위해서는 데이터를 안전하고 정확하게 교환할 수 있도록 공통 데이터 표준과 프로토콜을 개발해야 합니다.

이러한 과제를 해결하기 위해 규제 기관은 환자, 의료진, 연구자, 기술 기업 등 의료 산업 전반의 이해관계자들과 긴밀히 협력해야 합니다. 개인 맞춤형 의료 도구 사용에 대한 명확한 가이드라인을 마련하고, 시간이 지남에 따라 이러한 치료의 안전성과 효과를 모니터링할 수 있는 강력한 시스템을 구축해야 합니다. 이를 통해 정밀 의학이 안전하고 효과적이며 윤리적인 방식으로 계속 발전할 수 있도록 도울 수 있습니다.

-국제 협력: 의약품의 개발과 사용은 본질적으로 전 세계적으로 이루어지기 때문에 의약품의 규제와 안전에 대한 국제적 협력이 필요합니다. 국제적인 협력은 의약품이 생산되거나 사용되는 장소에 관계없이 안전하고 효과적이며 고품질의 의약품을 보장하는 데 도움이 될 수 있습니다. 여기에는 여러 국가에서 일관된 수준의 안전성과 효능을 보장하기 위해 정보와 모범 사례를 공유하고 규제 표준을 조율하는 것이 포함됩니다.

국제 협력의 주요 이점 중 하나는 여러 규제 기관의 강점을 활용할 수 있다는 점입니다. 여러 규제 기관이 협력함으로써 리소스와 전문 지식을 공유하여 더 빠르고 효율적인 의약품 개발 프로세스로 이어질 수 있습니다. 이는 환자 수가 제한되어 있고 안전하고 효과적인 치료법을 개발하기 위해 협력이 필요한 희귀 질환이나 질환의 경우 특히 중요할 수 있습니다.

국제 협력은 또한 다른 국가와 지역의 사람들에게 안전하고 효과적인 의약품을 제공하는 데 도움이 됩니다. 규제 기관은 정보와 모범 사례를 공유함으로써 서로의 경험에서 배우고 보다 효과적인 규제 시스템을 개발할 수 있습니다. 이는 의약품이 생산 또는 사용되는 장소에 관계없이 일관된 표준을 사용하여 테스트되고 승인되도록 하는 데 도움이 될 수 있습니다.

규제 시스템의 차이, 문화 및 언어 장벽 등 의약품 규제 및 안전에 관한 국제 협력에는 여러 가지 어려움이 있습니다. 그러나 이러한 어려움을 극복하고 전 세계 의약품의 안전성과 효능을 보장하기 위해 협력할 수 있는 기회도 많이 있습니다. 규제 기관은 협업을 통해 공중 보건을 보호하고 환자들이 안전하고 효과적인 치료법을 이용할 수 있도록 도울 수 있습니다.

또한 국제 협력은 저소득 및 중간 소득 국가에서 의약품에 대한 접근성을 높이는 데도 도움이 될 수 있습니다. 예를 들어, 세계보건기구와 같은 기관은 필수 의약품을 가장 필요로 하는 사람들에게 저렴하게 공급하기 위해 노력합니다. 규제 기관과 제약 회사 간의 협력은 소외된 질병에 대한 치료법 개발에 인센티브를 제공하고 약품 비용을 절감함으로써 이러한 국가에서 의약품에 대한 접근성을 높이는 데 도움이 될 수 있습니다.

그러나 규제 기준의 차이, 문화적, 정치적 차이, 지적 재산권 문제 등 국제 협력에는 여러 가지 어려움이 있습니다. 이러한 과제를 극복하기 위해서는 전 세계 환자들이 안전하고 효과적인 의약품을 이용할 수 있도록 정부, 규제 기관, 제약사 간의 지속적인 노력과 협력이 필요합니다.

의약품 규제 및 안전의 미래는 환자와 의료진의 변화하는 요구를 충족하기 위해 계속 발전할 것입니다. 규제 당국은 새로운 기술과 접근 방식을 수용하는 동시에 환자 안전을 우선시함으로써 환자들이 안전하고 효과적인 의약품에 접근할 수 있도록 지원할 수 있습니다.

제약경제학: 의약품의 비용과 가치

제약경제학은 의약품의 비용과 가치를 조사하는 학문 분야입니다. 여기에는 비용 효율성, 경제성, 예산에 미치는 영향 등 약물의 경제적 영향을 평가하는 것이 포함됩니다. 의약품 비용이 계속 상승하여 의료 시스템과 개인에게 압력을 가하는 상황에서 약경제학의 중요성은 점점 더 커지고 있습니다.

제약경제학의 한 가지 핵심 측면은 약품의 비용과 임상적 효과를 비교하는 비용 효과 분석입니다. 여기에는 약품의 비용과 부작용 또는 합병증 치료 비용을 평가하고 이를 건강 결과 개선 측면에서 약품의 이점과 비교하는 것이 포함됩니다. 비용 효율성 분석은 어떤 약물을 사용할지, 의료 서비스를 위한 리소스를 어떻게 할당할지에 대한 결정을 내리는 데 사용할 수 있습니다.

제약경제학의 또 다른 중요한 측면은 의약품이 예산에 미치는 영향을 평가하는 것입니다. 여기에는 약품의 총 비용과 약품 사용이 의료 예산에 미치는 영향을 평가하는 것이 포함됩니다. 이는 예산을 관리하고 자원이 효과적으로 사용되고 있는지 확인해야 하는 의료 시스템과 예산지불자에게 중요할 수 있습니다.

약제경제성 평가는 의약품을 처방 목록에 포함할지 여부 또는 환자에게 의약품 비용을 환급할지 여부와 같은 정책 결정을 내리는 데 사용될 수 있습니다. 또한 특정 환자에게 어떤 약물을 처방할지 등 임상적 결정을 내리는 데에도 사용할 수 있습니다.

제약경제학은 경제학, 역학, 통계학, 임상의학을 활용하는 다학제적 분야입니다. 복잡한 모델링 및 데이터 분석 기법을 사용해야 할 뿐만 아니라 광범위한 의료 시스템과 정책 환경에 대한 이해가 필요합니다.

최근 몇 년 동안 가치 기반 의료 서비스를 지원하기 위해 약제경제학적 평가를 사용하는 것에 대한 관심이 높아지고 있습니다. 이 접근 방식은 단순히 비용이 아닌 의료 개입의 가치를 강조합니다. 가치 기반 의료는 환자가 가능한 한 가장 효과적인 치료를 받으면서도 비용을 관리하고 의료 결과를 개선하는 것을 목표로 합니다.

제약경제학은 약물이 효과적이고 효율적으로 사용되고 의료 자원이 현명하게 사용되도록 보장하는 데 중요한 역할을 합니다. 의약품 비용이 계속 상승함에 따라 제약경제학 분야는 의료 정책 및 의사 결정에 있어 점점 더 중요해질 것입니다.

기존 의약품의 새로운 용도 찾기

약물 리포지셔닝 또는 약물 리파일링이라고도 하는 약물 용도 변경은 원래 다른 적응증으로 개발된 기존 약물의 새로운 치료 용도를 찾는 과정을 말합니다. 약물 용도 변경의 이면에는 기존 약물이 이미 안전성 테스트를 거쳤고 약동학 및 투약 요법이 확립되어 있기 때문에 약물 개발 과정에서 시간과 비용을 절약할 수 있다는 아이디어가 숨어 있습니다. 또한, 약물 용도 변경은 해당 질환에 사용할 수 있는 약물이 부족하여 치료 옵션이 제한적인 환자에게 새로운 치료 옵션을 제공할 수 있습니다.

약물 용도 변경에는 다음과 같은 여러 가지 접근 방식이 있습니다:

-우연한 발견: 우연한 발견은 약물이 원래 개발 목적이 아닌 다른 질환에 치료 효과가 있는 것으로 밝혀진 경우를 설명하는 데 사용되는 용어입니다. 이는 연구자나 임상의가 특정 질환에 약물을 사용할 때 예상치 못한 효과나 결과를 발견할 때 발생할 수 있습니다. 경우에 따라 이러한 예상치 못한 효과로 인해 약물이 새로운 적응증에 맞게 용도가 변경될 수 있습니다.

우연한 발견의 대표적인 예로 흔히 비아그라로 알려진 실데나필이라는 약물이 있습니다. 실데나필은 처음에는 혈관이 좁아지는 질환인 고혈압과 협심증을 치료하기 위한 약물로 개발되었습니다. 임상 시험 중에 연구자들은 이 약이 남성의 발기 기능을 개선하는 놀라운 부작용이 있다는 사실을 발견했습니다. 이로 인해 이 약은 당시 효과적인 치료법이 거의 없었던 발기부전 치료제로 승인되었습니다.

우연한 발견의 다른 예로는 원래 진정제로 개발되었지만 나중에

암의 일종인 다발성 골수종 치료에 효과적인 것으로 밝혀진 탈리도마이드 약물이 있습니다. 또 다른 예로는 고혈압 치료를 위한 경구용 약물로 개발되었지만 나중에 모발 성장 촉진에 효과적인 것으로 밝혀져 현재는 남성형 탈모 치료에 국소적으로 사용되는 미녹시딜이 있습니다.

우연한 발견은 연구자들에게 약물 작용 메커니즘과 잠재적인 새로운 치료 표적에 대한 귀중한 통찰력을 제공할 수 있기 때문에 기존 약물의 새로운 용도를 파악하는 데 중요한 방법이 될 수 있습니다. 그러나 이러한 발견은 우연히 이루어지는 경우가 많으며 항상 안전하고 효과적인 치료법으로 이어지는 것은 아니라는 점에 유의해야 합니다. 모든 약물과 마찬가지로, 새로운 적응증으로 약물의 용도를 변경할 때 이점이 위험보다 큰지 확인하기 위해 신중한 평가와 테스트가 필요합니다.

또한 이 접근 방식은 개발 시간 단축, 비용 절감, 임상 시험 성공 가능성 증가 등 기존 약물 개발에 비해 몇 가지 이점을 제공할 수 있습니다. 또한 기존 약물의 용도 변경은 충족되지 않은 의학적 요구를 해결하고 옵션이 제한된 환자에게 새로운 치료 옵션을 제공하는 데 도움이 될 수 있습니다.

그러나 올바른 약물 후보 식별, 안전성 및 효능 보장, 새로운 적응증에 대한 규제 승인 획득과 같은 약물 용도 변경과 관련된 문제도 있습니다. 이러한 어려움에도 불구하고 약물 용도 변경은 제약 산업에서 중요한 연구 영역으로 남아 있으며 환자와 의료 시스템 모두에 상당한 이점을 가져올 수 있는 잠재력을 가지고 있습니다.

-표적 기반 스크리닝: 표적 기반 스크리닝은 특정 질병과 관련된 특정 생물학적 경로 또는 분자 표적을 식별한 다음 기존 약물을 테스트하여 해당 표적을 조절할 수 있는지 확인하는 약물 용도 변경에 대한 또 다른 접근 방식입니다. 이 접근법은 많은 질병이 특정 분자 이상으로 인해 발생하며 이러한 분자 경로를 표적으로 하는 약물이 질병 치료에 효과적일 수 있다는 이해를 기반으로 합니다.

표적 기반 스크리닝에서 연구자들은 먼저 질병에 관여한다고 생각되는 특정 분자 표적을 식별합니다. 그런 다음 기존 약물 라이브러리를 검색하여 해당 표적을 조절할 가능성이 있는 화합물을 식별합니다. 후보 약물을 확인한 후에는 질병의 전임상 모델에서 약물의 효능을 테스트할 수 있습니다.

표적 기반 스크리닝을 사용하여 용도가 변경된 약물의 대표적인 예로 탈리도마이드가 있습니다. 탈리도마이드는 처음에는 진정제로 개발되었지만 면역 체계를 조절하는 능력을 통해 다발성 골수종 치료에 효과적인 것으로 밝혀졌습니다. 특히 탈리도마이드는 다발성 골수종의 발병과 진행에 관여하는 TNF-알파라는 단백질을 억제합니다. 탈리도마이드는 TNF-알파를 조절하는 능력을 통해 다발성 골수종에 효과적인 치료제로 입증되었으며, 현재 이 적응증에 대해 승인되었습니다.

표적 기반 스크리닝은 연구자가 질병의 분자 메커니즘에 대한 기존 지식을 활용하여 새로운 치료법을 식별할 수 있으므로 약물 용도 변경에 대한 유망한 접근 방식을 제공합니다. 특정 분자 경로를 표적으로 삼음으로써 연구자들은 원래 해당 목적으로 개발되지 않았더라도 다양한 질병을 치료하는 데 효과적일 가능성이 있는 약물을 식별할 수 있습니다.

표적 기반 스크리닝은 이미 안전성과 약동학에 대해 광범위하게 연구된 약물의 잠재적인 새로운 용도를 식별할 수 있기 때문에 약물 용도 변경을 위한 매력적인 전략이 되었습니다. 하지만 이 접근법에도 한계가 있습니다. 예를 들어, 특정 생물학적 경로를 표적으로 하는 약물은 표적을 벗어난 효과를 가져와 원치 않는 부작용을 일으킬 수 있습니다. 또한 모든 질병이 단일 분자 표적에 의해 발생하는 것은 아니며, 한 경로를 조절하는 데 효과적인 약물이 질병의 다른 측면을 치료하는 데 효과적이지 않을 수 있습니다. 그럼에도 불구하고 표적 기반 스크리닝은 약물 용도 변경에 있어 여전히 유용한 접근 방식이며, 잠재적 표적의 식별과 이를 조절할 수 있는 약물 개발을 개선하기 위한 연구가 진행 중입니다.

-표현형 스크리닝: 표현형 스크리닝은 치료 효과가 있는 화합물을 식별하기 위해 질병 모델에서 기존 약물을 테스트하는 약물 발견 접근 방식입니다. 이 방법은 특정 생물학적 표적이나 경로에 초점을 맞추는 대신 질병 상태의 세포 또는 유기체의 표현형 또는 관찰

가능한 특성에 영향을 미치는 약물의 능력을 평가합니다.

표현형 스크리닝은 여러 표적 또는 작용 기전을 가질 수 있는 약물을 식별할 수 있기 때문에 질병의 기저에 있는 생물학적 메커니즘이 잘 이해되지 않거나 복잡한 상황에서 특히 유용할 수 있습니다. 또한 메트포르민의 경우처럼 기존 약물의 새로운 용도와 잠재적인 항암 특성을 파악하는 데에도 도움이 될 수 있습니다.

표현형 스크리닝의 한 가지 장점은 처음에 특정 질병을 표적으로 하도록 설계되지 않았을 수 있지만 그럼에도 불구하고 치료 효과가 있는 약물을 식별할 수 있다는 것입니다. 그러나 이러한 약물의 정확한 작용 메커니즘을 파악하고 특정 적응증에 맞게 약물의 효능과 안전성을 최적화하는 것은 어려울 수 있습니다.

이러한 문제를 해결하기 위해 연구자들은 표현형 스크리닝의 효율성과 효과를 개선하기 위해 고처리량 스크리닝(high-throughput screening), 인공지능/머신러닝(machine learning) 알고리즘 등 다양한 접근법을 사용하고 있습니다. 전반적으로 이러한 접근 방식은 기존 약물의 새로운 용도를 발견하고 광범위한 질병에 대한 새로운 치료제를 식별할 수 있는 가능성을 제시합니다.

표현형 스크리닝은 표적 기반 스크리닝에 비해 몇 가지 장점이 있습니다. 한 가지 장점은 여러 작용 기전을 가지거나 여러 경로를 표적으로 하는 약물을 식별할 수 있어 여러 경로가 관여하는 복잡한 질병에 특히 유용할 수 있다는 점입니다. 또 다른 장점은 예상치 못했거나 알려지지 않은 작용 메커니즘을 가진 약물을 식별할 수 있어 새로운 표적과 경로를 발견할 수 있다는 점입니다.

그러나 표현형 스크리닝과 관련된 몇 가지 어려움도 있습니다. 한 가지 문제는 표현형 스크리닝을 통해 확인된 약물의 분자 표적을 식별하는 것이 더 어려울 수 있으며, 이로 인해 약물의 효능을 최적화하고 부작용을 최소화하기가 더 어려워질 수 있다는 것입니다. 또한 표현형 스크리닝은 질병 모델에 의존하기 때문에 전임상 연구에서 유망해 보이는 화합물이 인간에게는 효과적이거나 안전하지 않을 수 있는 위험이 있습니다.

이러한 어려움에도 불구하고 표현형 스크리닝은 약물 용도 변경 분야에서 가능성을 보여 왔으며, 기존 약물의 새로운 용도를 식별하는 데 중요한 접근 방식이 될 가능성이 높습니다.

-컴퓨터 접근법: 여기에는 컴퓨터 모델과 데이터 분석 기술을 사용하여 특정 질병에 대해 어떤 기존 약물이 치료 잠재력을 가질 수 있는지 예측하는 것이 포함됩니다. 이러한 방법은 약물 및 질병 정보의 대규모 데이터 세트와 생물학적 및 화학적 지식을 활용하여 기존 약물의 새로운 치료 용도를 식별합니다.

머신러닝(machine learning) 알고리즘은 약물 용도 변경에 대한 컴퓨터 접근 방식에 자주 사용됩니다. 이러한 알고리즘은 약물 및 질병 정보의 대규모 데이터 세트를 분석하여 용도 변경을 위한 잠재적 약물 후보를 식별할 수 있습니다. 예를 들어, 특정 질병에 효과가 있는 것으로 알려진 약물과 효과가 없거나 부작용이 있는 것으로 알려진 약물에 대한 데이터 세트를 머신 러닝 알고리즘에 학습시킬 수 있습니다. 그런 다음 알고리즘은 이 정보를 사용하여 화학 구조, 생물학적 표적 또는 기타 요인의 유사성을 기반으로 해당 질병에 효과적일 수 있는 다른 약물을 예측할 수 있습니다.

약물 용도 변경에 대한 다른 컴퓨터 접근 방법으로는 유전자와 단백질 간의 상호작용을 분석하여 잠재적인 치료 표적을 식별하는 네트워크 기반 방법과 컴퓨터 시뮬레이션을 사용하여 작은 분자가 생물학적 표적과 어떻게 상호 작용할 수 있는지 예측하는 분자 도킹이 있습니다.

약물 용도 변경에 대한 컴퓨터 접근 방식은 신약 개발 프로세스를 가속화하고 비용을 절감할 수 있는 큰 가능성을 지니고 있지만, 동시에 도전과제에 직면해 있습니다. 한 가지 주요 과제는 생성된 예측의 정확성과 신뢰성을 보장하기 위해 고품질 데이터와 잘 검증된 모델이 필요하다는 점입니다. 또한 규제 기관은 새로운 적응증에 대해 용도 변경된 의약품의 안전성과 효능을 입증하기 위해 추가적인 임상 시험을 요구할 수 있으며, 이는 시간과 비용이 많이 소요될 수 있습니다.

약물 용도 변경에 대한 컴퓨터 접근 방식은 기존 방식에 비해 몇 가지 장점이 있습니다. 예를 들어, 훨씬 더 많은 수의 약물과 질병 표적을 단시간에 스크리닝할 수 있으며, 알려진 생물학적 활성이 아닌 분자적 특징을 기반으로 잠재적인 약물 후보를 식별할 수 있습니다. 그러나 이러한 방법에는 대규모의 정확한 데이터 세트가 필요하고 오탐(false-positives) 또는 미탐(false-negatives)이 발생할 가능성이 있는 등 몇 가지 한계도 있습니다.

약물 용도 변경은 약물 개발 프로세스를 크게 가속화하고 환자에게 새로운 치료 옵션을 제공할 수 있는 잠재력을 가지고 있습니다. 그러나 새로운 적응증에 대한 안전성과 효능을 보장하기 위한 엄격한 테스트의 필요성, 제약회사의 특허 보호 및 수익성 제한 가능성 등 약물 용도 변경과 관련된 문제도 있습니다. 이러한 어려움에도 불구하고 약물 용도 변경은 활발한 연구 분야이며 이미 새로운 적응증에 맞게 약물의 용도를 변경한 여러 성공적인 사례가 있습니다.

의약품 개발 및 사용의 윤리

의약품의 개발과 사용에는 신중하게 검토하고 해결해야 하는 중요한 윤리적 고려사항이 있습니다. 주요 윤리적 문제에는 의약품에 대한 접근성, 임상시험 설계 및 수행, 의약품의 마케팅 및 홍보가 포함됩니다.

약물과 관련된 가장 중요한 윤리적 과제 중 하나는 치료가 필요한 모든 환자에게 이러한 치료법에 대한 접근성을 보장하는 것입니다. 이는 경제적, 사회적, 정치적 요인으로 인해 의약품에 대한 접근이 제한될 수 있는 저소득 및 개발도상국에서 특히 중요합니다.

의약품에 대한 접근성을 높이기 위한 노력에는 합리적인 가격 책정 모델 개발, 필수 의약품의 현지 제조 지원, 자원이 제한된 환경에서 의약품에 대한 접근성을 높이기 위한 국제기구와의 협력 등이 포함됩니다.

의약품 개발 및 사용의 윤리에는 접근성과 경제성에 대한 고려 사항도 포함됩니다. 생명을 구하는 많은 의약품은 특히 저소득 국가에서는 필요한 환자들이 감당할 수 없는 가격으로 책정되는 경우가 많습니다. 이는 필수 의약품에 대한 접근성을 보장해야 하는 제약회사와 정부의 책임과 의약품 가격 결정에 있어 지적재산권의 역할에 대한 의문을 제기합니다.

또 다른 중요한 윤리적 고려사항은 임상시험의 설계와 수행입니다. 임상시험은 신약이 사용 승인을 받기 전에 안전성과 효능을 입증하는 데 필요하지만, 환자 안전, 사전 동의, 임상시험의 혜택과 위험의 공평한 분배와 관련된 윤리적 문제를 제기할 수도 있습니다. 임상시험이 윤리적인 방식으로 설계되고 수행되도록 하려면 사전 동의, 환자 안전, 적절한 대조군 사용과 같은 문제에 세심한 주의를 기울여야 합니다.

의약품의 마케팅 및 홍보 또한 중요한 윤리적 문제입니다. 제약회사는 윤리적이고 투명한 방식으로 의약품을 홍보하고, 의약품의 혜택과 위험에 대한 정확한 정보를 제공하며, 의약품의 효능이나 안전성에 대해 오해의 소지가 있거나 과장된 주장을 피해야 할 책임이 있습니다. 제약회사가 환자에게 직접 의약품을 마케팅하는 소비자 직접 광고의 사용은 환자의 자율성, 정보에 입각한 의사 결정, 의약품의 오용 또는 남용 가능성에 대한 윤리적 우려를 불러일으키기도 합니다.

또 다른 윤리적 고려 사항은 어린이, 임산부, 노인과 같은 취약 계층의 약물 사용입니다. 약물은 연령대별로 다른 영향을 미칠 수 있으며 특정 인구 집단에 위험을 초래할 수 있습니다. 이러한 집단에 대한 임상시험 수행의 윤리적 영향과 이러한 집단에서 약물의 개발 및 사용은 신중하게 평가되어야 합니다.

의약품의 윤리적 사용에는 승인된 적응증 이외의 질환에 의약품을 사용하는 오프라벨 처방 문제도 포함됩니다. 오프라벨 사용은 때때로 필요하고 유익할 수 있지만, 환자에게 위험을 초래하고 처방 관행의 적절성에 대한 의문을 제기할 수도 있습니다.

이러한 윤리적 고려 사항 외에도 형평성, 사회 정의, 문화적 역량 문제 등 의약품의 개발과 사용에 영향을 미칠 수 있는 광범위한 사회적, 문화적 요인도 있습니다. 이러한 윤리적 고려 사항을 해결하려면 모든 개인과 커뮤니티의 건강과 웰빙을 증진하는 방식으로 의약품이 개발되고 사용될 수 있도록 환자, 의료진, 제약회사, 규제 기관 및 기타 이해관계자 간의 지속적인 대화와 협력이 필요합니다.

의약품 개발 및 사용의 윤리는 복잡하고 다면적이며, 유익성, 비악용성, 정의, 자율성 등 다양한 윤리적 원칙을 신중하게 고려해야 합니다.

환자 중심의 의약품 개발 및 사용

환자 중심 의약품 개발 및 사용은 의약품 개발, 처방 및 사용 시 환자의 요구와 선호도를 우선시하는 접근 방식입니다. 이 접근 방식은 환자가 다양한 병력, 라이프스타일, 목표를 가진 고유한 개인이라는 점을 인식하고 환자의 특정 요구를 충족하기 위해 약물 치료를 맞춤화 하고자 합니다.

환자 중심 의약품 개발 및 사용의 핵심 측면 중 하나는 의약품 개발 과정에 환자가 참여하는 것입니다. 여기에는 임상시험 설계에 환자 참여, 의약품 라벨링 및 포장에 대한 환자 피드백 요청, 다양한 치료 옵션의 위험과 이점에 대한 토론에 환자 참여 등이 포함되며 의약품 개발 목표, 연구 설계 및 결과 측정에 대한 환자의 의견을 수렴하여 해당 의약품이 대상 환자 집단의 요구를 충족할 수 있도록 하는 것이 포함됩니다. 치료 효과와 삶의 질에 대한 환자의 관점을 측정하는 '환자 보고 결과 측정'은 환자의 관점에서 신약의 이점을 평가하기 위해 임상시험에서 점점 더 많이 사용되고 있습니다.

환자 중심 의약품 개발 및 사용의 또 다른 중요한 측면은 의약품 처방 및 사용에 있어 환자와 의료진 간의 공동 의사 결정입니다. 여기에는 개별 환자에게 가장 적합한 치료 계획을 수립하기 위해 다양한 약물 옵션의 이점과 위험, 환자의 선호도와 가치관에 대해 논의하는 것이 포함됩니다. 환자가 약물 복용을 결정하기 전에 약물의 잠재적 이점과 위험성을 충분히 이해하도록 하는 사전 동의 역시 환자 중심 치료의 중요한 요소입니다.

환자 중심의 약물 개발 및 사용은 또한 약물 순응도 및 환자 교육의 중요성을 인식합니다. 여기에는 환자가 약물의 목적과 잠재적 부작용을 이해하고 치료 요법을 준수하는 데 도움이 되는 도구와 리소스를 제공하는 것이 포함됩니다. 환자가 약 복용을 쉽게 기억하고 복잡한 약물 요법을 관리할 수 있도록 하는 환자 중심의 의약품 포장 사용, 모바일 건강 앱 및 웨어러블 디바이스와 같은 기술을 통합하여 약물 순응도 및 자가 관리를 지원하는 것 등이 있습니다.

환자 중심의 약물 개발 및 사용은 개별 환자의 고유한 요구 사항을 충족하는 맞춤형 약물 치료의 중요성을 인식하고 환자를 약물 개발 및 사용 프로세스의 파트너로 참여시키려는 현대 의료의 중요한 구성 요소입니다. 환자를 의약품 개발 및 사용 과정의 중심에 두어 의약품의 효과, 안전성 및 환자 만족도를 개선하고자 합니다. 이러한 접근 방식은 전반적으로 더 나은 건강 결과와 환자 중심의 의료 서비스를 제공할 수 있는 잠재력을 가지고 있습니다.

기술이 의약품 개발 및 사용에 미치는 영향

최근 몇 년간 기술은 의약품 개발과 사용에 큰 영향을 미쳤습니다. 가장 중요한 발전 중 하나는 신약 개발에 인공 지능(AI)을 사용한 것입니다. AI는 대규모 데이터 세트를 분석하고 잠재적 치료법의 효과를 예측하는 데 사용되어 신약 개발 프로세스의 속도를 크게 높일 수 있습니다.

기술이 영향을 미친 또 다른 분야는 디지털 치료제 개발입니다. 디지털 치료제는 모바일 앱이나 가상 현실과 같은 디지털 기술을 사용하여 질병을 치료하거나 예방하는 소프트웨어 기반 치료법입니다. 정신 건강을 위한 인지 행동 치료 앱, 통증 관리를 위한 가상 현실 치료 등이 그 예입니다.

3D 프린팅 기술은 또한 환자의 특정 요구에 맞는 맞춤형 의약품을 만들 수 있게 함으로써 의약품 개발에 혁명을 일으키고 있습니다. 이를 통해 약물 효능을 개선하고 부작용을 줄일 수 있습니다. 또한 바이오시밀러는 기존 생물학적 의약품과 유사하지만 가격이 저렴한 의약품입니다. 바이오시밀러는 필수 치료제에 대한 접근성을 높이고 의료 비용을 절감할 수 있는 잠재력을 가지고 있습니다.

모바일 앱과 웨어러블 디바이스와 같은 디지털 의료 기술의 부상으로 기술 또한 약물 사용에 영향을 미쳤습니다. 이러한 기술은 보다 개인화되고 접근성이 뛰어난 의료 서비스를 제공함으로써 환자의 치료 결과를 개선할 수 있는 잠재력을 가지고 있습니다. 환자가 약물 사용과 복약 순응도를 모니터링하고 개인화된 알림과 교육을 제공하는 데 도움이 될 수 있습니다. 원격 의료 및 원격 모니터링 기술은 외딴 곳이나 의료 서비스가 취약한 지역의 환자들의 의료 서비스 및 약물 관리 접근성을 개선할 수도 있습니다. 그러나 규제 기관은 이러한 제품이 안전하고 효과적이며 소비자에게 정확하게 판매될 수 있도록 가이드라인과 표준을 수립해야 합니다.

기술은 전자 의료 기록, 청구 데이터, 환자가 생성한 데이터 등 실제 증거를 수집하고 분석할 수 있게 해주었습니다. 이를 통해 의약품의 장기적인 안전성과 효과에 대해 더 잘 이해할 수 있게 되었습니다.

기술을 통해 개인의 고유한 유전적 구성 및 기타 특성에 맞게 치료법을 맞춤화하는 개인 맞춤형 의학의 개발이 가능해졌습니다. 이러한 접근 방식은 약물 효과를 개선하고 부작용을 줄일 수 있을 뿐만 아니라 불필요한 치료를 피함으로써 의료 비용을 절감할 수 있습니다.

전반적으로 기술이 의약품 개발과 사용에 미치는 영향은 매우 크며, 앞으로도 계속해서 의료 서비스의 미래를 형성해 나갈 것입니다. 그러나 이러한 기술이 규제되고 안전하고 효과적으로 사용되어 환자에게 잠재적인 혜택을 극대화할 수 있도록 하는 것이 중요합니다.

글로벌 보건 문제 해결을 위한 의약품의 역할

의약품은 전염병, 만성 질환, 정신 건강 장애와 같은 글로벌 보건 문제를 해결하는 데 중요한 역할을 합니다.

HIV/AIDS, 말라리아, 결핵과 같은 전염병은 수십 년 동안 전 세계의 주요 보건 과제였습니다. 효과적인 치료제의 개발과 보급은 이러한 질병을 통제하는 데 중요한 역할을 해왔습니다. 예를 들어, 항레트로바이러스 치료제는 사형선고를 받던 HIV/AIDS를 관리 가능한 만성 질환으로 변화시켰습니다. 또한 효과적인 백신의 개발은 홍역, 소아마비, 코로나19와 같은 질병의 확산을 통제하는 데 중요한 역할을 했습니다.

심장병, 당뇨병, 암과 같은 만성 질환도 전 세계 보건의 주요 과제입니다. 약물은 이러한 질환을 관리하고 환자의 치료 결과를 개선하는 데 중요한 요소인 경우가 많습니다. 예를 들어 스타틴은 콜레스테롤을 낮추고 심장마비 및 뇌졸중 위험을 줄이기 위해 널리 사용됩니다. 화학 요법 및 면역 요법 약물도 여러 유형의 암 생존율을 개선했습니다.

우울증, 불안증, 정신분열증과 같은 정신 건강 장애는 또 다른 글로벌 보건 문제입니다. 이러한 질환을 관리하고 환자의 삶의 질을 개선하기 위해 항우울제 및 항정신병약물과 같은 약물을 치료와 병행하여 사용하는 경우가 많습니다.

하지만 전 세계 많은 사람들이 의약품에 접근하는 것은 여전히 어려운 과제입니다. 높은 약값, 제한된 가용성, 열악한 유통 시스템으로 인해 환자들이 필요한 약을 구하지 못할 수 있습니다. 특히 저소득 국가에서 공평한 접근성과 경제성을 보장하는 데는 어려움이 있습니다. 또한 제조 중단, 규제 문제, 예상치 못한 수요 등 다양한 요인으로 인해 의약품 부족이 발생할 수 있습니다.

여기에는 공급망 관리, 지적 재산권, 높은 개발 및 생산 비용 등의 문제가 포함되며 이러한 문제를 해결하기 위해 정부, 비정부기구, 제약회사, 기타 이해관계자 간의 글로벌 협업과 혁신에 대한 필요성이 커지고 있습니다. 여기에는 보다 저렴하고 접근성이 높은 신약 개발, 의약품 유통 시스템 개선, 글로벌 보건 이니셔티브에 대한 투자가 포함됩니다. 전 세계가 협력함으로써 의약품에 대한 접근성을 개선하고 가장 시급한 글로벌 보건 문제를 해결할 수 있습니다.

의약품 개발 및 사용의 새로운 트렌드와 미래 방향

의약품 개발 및 사용 분야는 끊임없이 진화하고 있으며, 몇 가지 새로운 트렌드와 향후 방향을 살펴볼 가치가 있습니다. 가장 중요한 트렌드 중 하나는 개인의 특정 유전자 및 분자 프로필에 맞춰 치료법을 맞춤화하는 정밀 의학에 대한 관심이 높아지고 있다는 점입니다. 이러한 접근 방식은 게놈 시퀀싱 및 유전자 편집과 같은 기술의 발전으로 가능해졌으며, 이를 통해 보다 표적화되고 개인화된 치료가 가능해졌습니다.

또 다른 새로운 트렌드는 약물 개발 및 사용에 인공 지능과 머신 러닝(machine learning)을 사용하는 것입니다. 이러한 기술은 방대한 양의 데이터를 분석하고 잠재적인 약물 표적을 식별할 뿐만 아니라 효능과 안전성을 개선하기 위해 약물 분자를 설계하고 최적화하는 데 사용될 수 있습니다. 또한, AI는 약물에 대한 환자의 반응을 예측하고 약물 부작용의 위험이 있는 개인을 식별하는 데 사용될 수 있습니다.

최근에는 신약의 잠재적 공급원으로서 천연물 및 전통 의약품에 대한 관심도 높아지고 있습니다. 이러한 물질은 수세기 동안 전통 의학 시스템에서 사용되어 왔으며 유망한 치료 효과를 제공할 수 있습니다. 그러나 안전성과 효능을 보장하기 위해서는 엄격한 과학적 테스트와 검증이 필요합니다.

앞으로는 의약품 개발 및 사용에 대한 협력적이고 학제 간 접근 방식이 더욱 강조될 것입니다. 여기에는 학계, 산업계, 정부 기관 간의 파트너십은 물론 의약품 개발 과정에 환자 및 환자 옹호 단체의 참여가 확대될 수 있습니다. 또한 희귀 질환과 소외된 질환, 그리고 소외 계층에 불균형적으로 영향을 미치는 질환에 대한 치료법 개발에 더 중점을 둘 수 있습니다.

의약품 개발 및 사용의 미래는 기술 발전, 사회적 우선순위의 변화, 지속적인 과학적 발견의 조합에 의해 형성될 가능성이 높습니다. 과학자와 의료 전문가는 이러한 트렌드를 파악하고 여러 분야의 공동 연구에 참여함으로써 환자들이 다양한 건강 상태에 대해 안전하고 효과적이며 개인화된 치료법을 이용할 수 있도록 도울 수 있습니다.